復帰五〇年の記憶

——沖縄からの声

安里英子
安里 進
伊佐眞一
石垣金星
海勢頭 豊
大城立裕
大田昌秀
川平成雄
川満信一
金城 実
高良 勉
仲里 効
仲程昌徳
波照間永吉
比屋根薫
ローゼル川田
川満信一◎編

藤原書店

はじめに　復帰五〇年に思う
――食卓へ侵入する戦争――

川満信一

　ああ、もう五〇年も経ったのか。新聞やテレビで復帰記念行事の予告が騒がれて、後ろを振り返る目つきになっている。

　東京沖縄県人会連合ほか関東の沖縄関係諸団体は、都内のホテルニューオータニで、復帰五〇年記念の〈合同盛春のつどい〉を開き、古典芸能など公演するという。一方沖縄県も記念大会を企画、両方で二六〇〇人を招待する予定とのこと。

一九五二年四月二八日の、対日講和条約をめぐっては、沖縄では、民族分断の〈屈辱の日〉とし、政府は民族独立の記念日として祝うという、逆さまの集団記憶になっていた。

復帰のさいの国政参加選挙は、沖縄がまだ国外だったにもかかわらず、狡猾な策略で実施され、〈沖縄参加の復帰国体〉という形式で、国民の目をごまかした。屋良建議書は無視され、日米安保や日米地位協定だけが、憲法の上位に位置付けられ、米軍人に関する犯罪は、無法地帯のように扱われた。

基地政策では、過剰な押し付けと、辺野古新基地造成のように司法とつるんだ有無を言わせぬ強引さ。列挙すると復帰は沖縄にとって、いや、日本にとっても敗北であり、敢えて記念行事を行うとすれば、敗戦日の六・二三のような反省の日としなければならない。自ら進んで従属国の位置を固める自民党の政策が、戦後日本の国民の目を塞ぎ、盆踊りを踊らせている。

特にこのごろは、中国を仮想敵とする台湾危機で、辺野古の新基地造成や宮古、八重山石垣、与那国の自衛隊基地強化が、地元の反対を押し切って進められている。

憲法や民主主義の理念とかを持ち出して、司法に頼っても、いまの日本では三権分立も名分だけで、県民投票の意思表示も無視される。中央権力を恐れる地方自治体のリーダーたちを選挙戦で脅し、まるで地元が基地新設に同意しているような見せかけをつくる。

沖縄戦での、島民をスパイと決めつけた処刑、各地における集団自決についても、教科書では視点が逆向きになったりする。ひめゆり部隊をはじめとする女子学徒兵、男子学徒兵たちの決死隊についても、その思想的解読は十分にされていない。

沖縄は日米安保の抵当として米占領軍に差し出され、土地闘争や、理不尽な婦女暴行、その他の事故をめぐる抗議闘争も、背後の法的支えもなく、孤立無援に繰り返されてきた。歴史は似たような事態を繰り返すのか。

一八八四年の四代沖縄県令・西村捨三のころの尚泰帰郷の騒ぎを思い起こす。琉球処分で東京へ連行された琉球国王・尚泰一行が、西村県令の策で一時帰郷した。迎えた首里・那覇では組踊《くみおどり》や花火大会を催し、港周辺では三〇か所に泡盛の振舞い酒が供されたという。警察では、首里士族の中に尚泰奪還の動きがあると警戒したが、県令の尚家を利用した宣撫工作は成功し、行事を終えたあとからは、反抗的だった沖縄の民が政府に協力的になったという。

祝うことでもないのに祝って、政府の手のうちに丸められていくという経緯が、復帰に関する行事にも再々見られる。玉砕地で行われる敗戦ではなく、終戦の記念祭、砕かれた岩頭を覆い隠すための植樹祭、艦砲射撃の傷跡深い海の、海洋博という資本の殴り込みなど。

事あるごとに〈反復帰論〉で問われた、これらの記憶は、仮想敵中国とか、台湾危機、北朝鮮危機と煽られて、一九七〇年代へ引き戻されていたが、このところ、ウクライナ戦争が始まってからは、驚きの連鎖で、復帰の事など関心の外であった。

最近は深刻化するウクライナの状況を、どう判断するかで揺れ続け、危機感は高まるばかりである。中国を仮想敵として琉球諸島全域に基地を強化する〈捨て石作戦〉の参謀たちが、柳の下のドジョウを求めているために、戦争への危機感が異常に高まっているのだろう。

普天間飛行場返還合意から二六年、事故は続いているのに事態は進行しない。辺野古新基地反対闘争、海底地質のマヨネーズ状が、九〇メートルにも及ぶので、埋め立ては無理だという学者たちの意見も無視、そして施政権返還から五〇年間に繰り返される婦女暴行。にもかかわらず、衆院沖縄北方特別委員会は、復帰五〇年に関する決議案で〈日米地位協定見直し〉の項を削除するという。日米安保を廃棄しない限り、いつでも戦争を仕掛けたがっているようなアメリカとの悪縁は整理できないし、また人権が叫ばれる今日、日米地位協定の廃棄乃至は抜本的改定がなされない限り、両国の関係も不安定さを免れない。

振り返れば一九五五年の伊佐浜土地闘争以来、米軍の基地、自衛隊の基地拡大に振り回されて、頭の構造までおかしくなったような思考偏屈症になっている。復帰五〇年式典どころか、地球の裏の戦争が夕食の食卓まで揺さぶっている。

（もう少し若ければ、辺野古へ出かけて、白髪頭を掻きあげながら、闘争現場で議論しているはずだが、心身の衰えと、折からのコロナウイルスの攻勢で閉じこもりを余儀なくされている。最近では電話の受け答えもしどろもどろになりつつある。

ウイルス監禁がなければ、せめても居酒屋へ出かけて、ウクライナ戦争と台湾危機をめぐって、判断の焦点を絞る機会をつくっていたはずだが、それも適わず内向はひどくなるばかりである。）

（二〇二二年五月）

復帰五〇年の記憶

目次

第一章　思想のゆくえ

2

第二章 文化のゆくえ

復帰五〇年の記憶

沖縄からの声

本書は、藤原書店の月刊『機』二〇一五年七月～二〇二二年三月までに掲載されたリレー連載「沖縄からの声」を中心に編集したものである。各稿末の年月は『機』掲載の年月である。『機』ではないものを出典とする場合は、各稿末に明記した。

第一章

思想のゆくえ

1　沖縄から日本政治を問う――沖縄・日本・アメリカ

元沖縄県知事　大田昌秀

一九二五〜二〇一七。『沖縄健児隊の最後』（編著、藤原書店）他。

軍事基地は百害の基で戦争を招く

『沖縄の宗教と社会構造』の著者、ハワイ大学人類学専攻のウィリアム・リーブラー教授は、日本の文化と沖縄の文化は、根本的に違うと述べている。同教授によると、日本の文化は、武士の文化（Warrior's Culture）、武力を讃える尚武の文化なのに対して、沖縄の文化は、非武の文化（Absence of militarism）、すなわち軍国主義の欠落した文化、優しさの文化と規定している。たしかに十五世紀後半から十六世紀前半にかけて五十年間も王位に就いていた尚真王は北山《ほくざん》、中山《ちゅうざん》、南山《なんざん》の支配者たちが戦争に明け暮れているのを統一しただけでなく、彼らの武器を取り上げて王の倉庫に仕舞い込んだ。その上、一般住民がいかなる武器をも携帯することを禁止した。

その後、一六〇九年に薩摩が琉球侵略をした時、薩摩は琉球人の反乱を懸念してさらに厳しく武器の携帯や武器の輸入までも禁止した。そのため沖縄は五百年余も武器を有しない平和な島となった。ちなみに沖縄で空手が発達したのもその故とさえ言われている。それだけに沖縄で誇るべきものがあるとすれば、それは何よりも平和を希求する思いが殊の外強いことだと言っても過言ではない。

それにもかかわらず沖縄の歴史に疎い日本政府首脳は、普天間基地を返す前提として名護市辺野古に新基地を作る計画を一切撤回しようとはしない。米軍の記録によると、辺野古基地は普天間の代替基地ではなく二〇パーセント軍事力を強化したもので、運用年数四十年、耐用年数二百年という。そのため現在の普天間の年間維持費は二八〇万ドルだが、それが一挙に二億ドルにはね上がってしまう。それを日本国民の税金で賄ってもらうというわけである。そのため沖縄の年配の方々、とりわけ沖縄戦の体験者たちが生活を犠牲にして辺野古に座り込み非暴力抵抗を続けている。基地を容認すると、一度戦争ともなるとそこが真っ先に攻撃の的になるだけでなく沖縄が再び戦場化する。それは戦争体験者たちにとっては到底見逃せない事態だからである。

ともあれ、在沖軍事基地は、沖縄の人々にとって百害の基であり、婦女暴行などの凶悪犯罪も基地の存在に起因する。

（二〇一六年七月）

改憲派三分の二の登場を憂える

安倍晋三政権下で日本は将来どのような国になっていくだろうか、と懸念される状況下、去る七月十日に実施された第二四回参議院議員選挙では、沖縄選挙区で無所属新人で元宜野湾市長の伊波洋一氏が三五万六三五五票を得て当選した。対立候補は、公明党が推薦する自民党現職の沖縄担当大臣の島尻安伊子氏で、伊波候補が島尻候補に一〇万六四〇〇票の大差をつけて勝利を収めた。

選挙戦の当初から地元の新聞は伊波氏の優勢を報じていたが、結果はその通りになった。県内では普天間飛行場を名護市辺野古に移設する問題をめぐって賛否両論が噴出しており、選挙の争点はこの基地移設問題だと想定されていた。

案の定、伊波候補は「基地のない平和な沖縄」をスローガンに掲げて計画を断念するよう声高に訴え、県政与党や労組などの強力な支持を取り付けた。ところが島尻氏は、殊更に県民世論を無視するかのように基地問題を選挙争点から外して、子供の貧困や生活問題など専ら経済問題に主眼を置いたため、無党派層の支持を阻む結果を招いた。島尻氏が二〇一〇年の選挙で公約した普天間飛行場の県外移設を撤回したことを選挙民は忘れていなかった。政治家にとって公約違反は政治生命を奪うことにもなる。

普天間基地の辺野古移設に県民世論の大半が反対していることは、過去の選挙結果を見れば判然とする。二〇一四年一月の名護市長選をはじめ一一月の知事選、一二月の衆院選全沖縄選挙区のいずれにおいても辺野古への基地移設に反対する候補者が当選を果たしているからだ。

とはいえ伊波候補の当選に酔ってはおれない。今回の参院選で、安倍首相が目指す憲法改正に賛同する勢力が、非改選と合わせて国会発議に必要な全議席の三分の二(一六二議席)超となり、その結果、与党は非改選七六議席を含め参院過半数の一二二議席を超え、秋の臨時国会以降改憲に向けた議論が本格化しそうだからである。現行の平和憲法が改悪されたら真っ先に過重の基地を抱える沖縄が致命的打撃を受けることは、これまで筆者が繰り返し主張したことである。

（二〇一六年八月）

対米従属国家たる日本

さる八月四日の記者会見で菅義偉官房長官は、沖縄県の基地問題の地元振興策との関係について、「両方の課題を総合的に推進していく意味合いにおいて、リンクしている」と述べた。

これまで政府は基地問題と振興策はリンクさせず、切り離して別個に対応する立場を示してきた。ところが、この主張を転換して、基地・施設の返還や跡地利用が進まなければ、沖縄振興予算の総額に影響する認識を露骨に示したのである。これはまるで一種の脅迫ではないか。いったい政府は沖縄を何と考えているのか。

菅官房長官は、宜野湾市にある米軍普天間飛行場を名護市辺野古に移設する問題を例にあげて、同飛行場の返還が遅れると振興策も停滞する、と発言をしている。このような主張は、基地の移設に反対する沖縄県知事を牽制する狙いがあると見られている。しかも新しく沖縄・北方担当大臣に就任したばかりの鶴保庸介氏までが四日の記者会見で菅官房長官と口裏を合わせて「確実に基地問題と振興策はリンクしている」と述べる始末である。

だが、考えてもみよ。沖縄では辺野古への基地移設に反対する高齢者たちが辺野古に坐り込んで抵抗している。いくつもの地獄が一どきに襲ってきたような沖縄戦の体験者たちが、二度と沖縄を攻撃の的にさせたり戦場化させることは絶対に容認できない、として生活を犠牲にして抗議しているのである。そのような民意を一切斟酌もせずに、飛行場の規模も予算も関西空港並みの、米軍の計画によると耐用年数二百年になる基地を作ることをどうして許容できようか。

移設計画をアメリカの要望どおりに安易に推進すると日本は主権国家どころか、文字どおりのアメリカの従属国家として世界中に恥を晒すことを知るべきである。

いささかでも主権国家の体をなしているなら、沖縄の民意どおりに、米国政府の要望には応諾できない旨を堂々と宣言すべきである。あらゆる意味で、日本より不利な状況下にあるフィリピンがクラーク基地とスービック基地を決然として返還させ、主権国家としての誇りを取り戻したことから少しでも学ぶべきだ。

（二〇一六年九月）

国と沖縄県との争いの結果

現在、国と沖縄県との対立がかつてないほど際立っている。普天間飛行場の名護市辺野古への移設が唯一の選択肢とする国に対し、県はあらゆる手法を講じてそれを阻止するとして対立している。七月二二日に国土交通省が、翁長雄志知事が辺野古新基地建設を巡り埋め立て承認取り消しの撤回を求めた是正指示に従わないのは違法だとして福岡高裁那覇支部に訴えたことで一挙に対立が表面化した。

国は、仲《なか》井《い》眞《ま》弘多《ひろかず》前知事の受け入れ承認になんら法的瑕疵はなく適正であり翁長知事の取り消しそれ自体が違法だと主張。これに対し翁長知事は、国土交通省の是正指示は、一九九九年に改正された地方自治法の、国と地方自治体は対等でお互いに話し合いで事を解決すべきだとする趣旨に基づいて国地方係争処理委員会に審査を申し出ていることなどを理由に挙げて不作為の違法性はないと反論している。

九月十六日の判決で多見谷寿郎裁判長は、国の主張を認め、国の是正指示に県が従わないことは違法だとする判決を下し県が敗訴した。県はこれを不服として最高裁に上訴する意向を表明している。その一方で翁長知事は判決が確定すればそれに従うとも述べている。

日本本土の主要紙は、社説で今回の国勝訴の判決についてそれぞれコメントしている。『北海道新聞』は、判決が国の言い分だけに軍配を上げていて地方自治の精神を尊重する姿勢は感じられないと述べている。『読売新聞』は、在日米軍駐留の重要性などを踏まえた妥当な判決だと言い、一九九九年制定の地方分権一括法で政府と自治体は対等と位置付けられたが、外交・国防は政府の専権事項だということを改めて明確にして適切と評価している。『信濃毎日新聞』は、政府が沖縄との話し合いを軽んじ一方的に訴訟を起こしたのは辺野古への移設工事を急ぐ意図がはっきり見えたと論じている。

筆者は、県が最高裁に上訴しても、最高裁は日米安保条約は憲法の上位にあるので統治行為論から干渉できないと判断を避ける姿勢なので県が勝訴するとは思えない。日本では、立法も司法も独立した機関というより行政に従属しているようだ。

（二〇一六年一〇月）

沖縄に対する差別政策の根源を絶て

最近沖縄では「構造的差別」がキーワードになっている。おそらくそれは、日本の面積の〇・六％しかない小さな島の沖縄に米軍の専用施設の七四％が集中していて、戦後七〇年余になっても未解決のままだからであろう。加えて日本の国会で衆議院で九割、参議院で八割が賛成して駐留軍特別措置法を沖縄を不利にする悪法に変えたことなども一因といえよう。

ともあれ、日米両政府が沖縄だけに在日米軍基地の過大な負担を今日まで強制して止まないのは、明らかに沖縄差別に他ならない。

沖縄はかつては、「守礼の邦」と称される平和な独立国家であった。それが明治の廃藩置県により軍事力で強制的に日本に併合され、文字通りの植民地にされてしまった。そのことは米軍統治下の二七年間、沖縄には日本国憲法が適用されなかった事実からも明らかである。日本国憲法が適用されないことは人間が人間らしく生きていけないことを意味する。なぜなら現行憲法は、人間の基本的人権のほか、人間が人間らしく生きていく上で不可欠な諸々の権利を具体的に規定しているからだ。

沖縄の人々は憲法が適用されていなかったにもかかわらず殊の外憲法を大事にして日常の暮らしに生かす努力を積み重ねてきた。おそらく未曾有の惨憺たる沖縄戦を体験したことに起因するにちがいない。

最近日本の自衛隊が集団的自衛権の行使を容認され国外に出動するだけでなく、沖縄の宮古、八重山両群島に二千人ほどを派遣する事態となっている。しかもそれは両島住民の要望に基づくどころか、強い反対を無視して国の一方的な意思で強行されているのだ。

基地を作りそこに軍隊を置けば、戦争が起きれば真っ先に攻撃の的になり戦場と化してしまう。両島の市民たちはそのことをさる沖縄戦の悲惨きわまる経験を通して百も承知である。だからこそ反対しているのだ。にも拘わらず政府があえて強行するのは、政府による暴力の行使に他ならない。それは現行の平和憲法に違反するだけでなく沖縄戦で人口の三分の一近くを犠牲にした沖縄の人々を再び犠牲に供する差別政策と言わざるをえない。（二〇一六年一一月）

沖縄人を〝土人〟呼ばわりする本土人の傲慢

またか、と沖縄の人々を憤慨させる発言が、本土から派遣された大阪府警の機動隊員から発せられた。以前にも、沖縄にオスプレイを配備するのに反対する人々が、銀座でデモ行進の最中、反対派からヘイトスピーチを浴びせられた前例があったからだ。

しかも今回は、本土から派遣された機動隊員たちが高江・安波のヘリパッド建設現場で建設に反対する市民に対して「土人」「シナ人」呼ばわりをしたのである。この発言には本土人の沖縄差別の「本音」が露骨に出ているとして怒りを買っているのだ。

とりわけさる六月にはヘイトスピーチ対策法が施行され、翌七月には大阪市ではヘイトスピーチ抑止条例が全面施行されているにもかかわらずだ。基本的人権を原理とする平和憲法下でかかる不当な発言が発せられるとなると、日本の民主主義自体が問われる。しかも本来ならばヘイトスピーチを取り締まるべき警察官による差別発言となれば、これまで以上に対沖縄差別が拡大浸透していくことになろう。

イギリスでは、一九六五年に公的な場で肌の色や人種などを理由に脅迫的、もしくは侮辱的な言葉を用いたりした場合には犯罪として刑罰を科す法律が制定された。またドイツでは、一九六〇年に刑法に「民衆扇動罪」を設け、「特定の人間の尊厳を攻撃する行為」の犯罪としての法定刑を、それまでの侮辱罪より重くしている。一方アメリカでも、一九六四年にヘイトクライム（憎悪犯罪）と立証された犯罪には、通常より重い罰則を適用する法律を成立させている。

ところが日本ではどうか。大阪府の松井一郎知事が暴言を吐いた機動隊員を訓戒するどころか、擁護する発言をしている体たらくだ。同知事はツイッターで、機動隊の労をねぎらい、暴言者を「たたくのは違う」と述べている。こんな人が知事では、大阪府の人々のマイノリティ・グループに対する蔑視や差別構造は解消されることはあるまい。

それどころか、鶴保庸介沖縄担当相が、この発言を「差別と断じることは到底できない」などと述べて人々の怒りに油を注いでいるからには、傲慢な本土人の対沖縄差別は拡散する一方に違いない。

（二〇一六年一二月）

日本の三権分立は機能していない

米国のドナルド・トランプ次期大統領が大統領選挙戦の渦中で、米軍が駐留する日本や韓国などの同盟国に、防衛を肩代わりしている見返りに駐留費負担の大幅引き上げを要求し、世界に波紋を広げた。

しかし在沖米駐留軍は、いかなる意味でも沖縄が要請したものではない。米国防総省によると九月末時点で、米国内の米軍は約一一三万人。海外に駐留するのは約二〇万人で駐留先は一七〇か国以上に上り、海外基地の数は約八〇〇にも及ぶという。そのうち在日米軍の人数は現在約三万九〇〇〇人である。

米軍が沖縄を含め日本に駐留するようになったのは六〇年に改定された日米安全保障条約に起因する。そのため沖縄では、同条約の改定を求める声が止まない。

しかしその実現は、容易でない。というのは他でもなく現在の日本の行政、司法、立法の三権は、分立と言いながらそれぞれ独自の機能を発揮できないでいるからだ。つまり立法も司法も行政に従属する格好になっているのだ。

立法府では、五二年に制定された駐留軍用地特別措置法を政府の要望に応える形で改変した。すなわち軍用地の選定は内閣総理大臣（現在は防衛大臣）が権限を持ち、首相が駐留軍の用に供するため土地等を必要とする場合において、適正かつ合理的と判断した場合は、国内のいかなる土地でも使用、収用できると改めたのだ。これが九六年の沖縄に適用されたのである。当時、米軍楚辺通信所（通称「ゾウのおり」）などの米軍施設では、日本政府と沖縄の軍用地主との間での契約期間が満了を迎えたが、地主側が契約延長を拒否。つまり米軍基地への土地の提供を拒否したのである。このまま地主側との契約延長ができなければ、米軍による土地の不法占拠状態が続くことになるため、日本政府は地主側の意思とは無関係に強制的に契約を延長・更新することができるようにしたわけである。
　この結果のとおり、いくら沖縄から司法に訴え日米安全保障条約の改定を求めても、行政からの反対があれば握りつぶされるのである。はたして日本の三権分立は、機能していると言えるのだろうか？

（二〇一七年一月）

2

沖縄と戦争——日本国の暴走のなかで

詩人　川満信一

一九三二年生。『琉球共和社会憲法の潜勢力』（共編）他。

南島のざわめき

日本国の進路が大きな曲がり角にさしかかるとき、予兆としてここ南島・沖縄から「ざわめき」の信号が送られる、という。島尾敏雄が奄美で霊感を受け、吉本隆明が南島論で、天皇制思想の相対化を追究しようとしたとき、この「南島のざわめき」に感応して、それぞれ書いている。

「ざわめき」を発信するほうでは、生活や生命を脅かす情況に差し迫られて、手をふり、足踏みし、声をあげているだけのことだが、日本の歴史という大きな視点からみると世代わりの警告という「ざわめき」になっているようだ。予兆のことを沖縄では「ムヌシラシ」という。この「琉球弧のムヌシラシ」が、日本の古代史にさかのぼっても、繰り返されてきているというのは、その道の専門家たちも指摘している。

沖縄県の戦中・戦後史を大まかにふりかえっても、「南島のざわめき」と日本の歴史的曲がり角の対応関係が、符節を合わせているから不思議だ。いま、沖縄は辺野古新基地造成をめぐってざわめいている。関連して沖縄戦の体験が呼び覚まされ、戦争の危機感に怯えている。

沖縄戦の守備軍最高司令官だった牛島満と、長勇参謀長が防戦を諦め、自決した六月二三日が沖縄の敗戦日となっており、八月一五日の天皇詔勅より二月近く前である。三月二六日に米軍が上陸してから、日本敗戦の「ざわめき」は発信されていたのである。国家の中枢はそれに感応することが出来ず、広島・長崎の惨劇を招いてから、やっと気付いている。

また、日米の軍事再編についても、一九九五年から「ざわめき」を発信しているのに「沖縄問題」として地域に閉ざされてきた。その結果が今日迎えている憲法無視の「積極的戦争主義」である。

終戦日の六月二三日を前に、地元の新聞からインタビューを受けた。設問は「新たな戦前」の情況をどう捉えているか。沖縄が戦場になる可能性について。戦場にならないための方策はあるか。若い世代にどういうメッセージをおくるかといった内容である。記者がこうした設問を準備するということは、大衆の感性として戦争の危機をひしひしと感じ取っているからであろう。さてこの「南島のざわめき」をどううけとるか。


（二〇一五年七月）

足下の火事

沖縄の地元新聞は、『沖縄タイムス』と『琉球新報』の二紙である。それぞれ二〇万前後の発行部数といわれる。店頭や駅などでの発売はわずかで、殆どが宅配になっているから、普及率は高い。

かつては野蛮、後進、愚昧が、統治者たちの沖縄観だった。新聞の発行部数だけで「文明化」の度合いを測るのは片手落ちかもしれないが、那覇市を訪れた旅行者は、「リトル東京」という印象を語る。

これをアメリカ贔屓は、アメリカ統治のお陰だと評し、日本贔屓は日本政府の温情策と評する。琉球諸島は古代貿易時代から、海上の道の十字路として、各地域の文明の先端にふれ、吸収してきた。つまりアメリカ、日本の統治と沖縄の近代化は区別して考える必要がある。近代化は世界的な変化の流れであり、社会進化論的に見れば、ほっといてもそういう変化の道筋を辿ったが、日・米がそれを加速させたというだけのことである。

ところで、本土の保守的な関係者からは、沖縄の新聞を偏向新聞と揶揄する声もあるようだが、民衆の代弁機能としては偏向しているとはいえない。むしろそういう揶揄の姿勢が、どういう立ち位置にあるかという自己省察こそがいまひつようであろう。かつて大本営発表で紙面を埋めていた過去の中央新聞の自己像を、棚上げした発言であってはならない。たしかにほとんどの頁に戦争と基地関連記事が溢れているのは、新聞編集の総合的目配りを欠いてはいないか、という危惧はある。しかしこれは沖縄の情況が迫られている危機の表象であり、マスコミに表象される過剰なまでの「南島のざわめき」をどう受け取るかで、日本国の歴史が右にも左にも舵をきるということであれば、対岸の火事として「沖縄問題」を揶揄《からか》っているわけにもいかないだろう。

戦前の帝国における軍閥統制下ではなく、曲がりなりにも「報道の自由」と国民主権を保障されており、国家の進路を左右する権限が法的に保障されているのだから、国民主体の問題としてかかわるほかないはずだ。気付かぬうちに足下から火事になっていた、では戦後の民主主義を自ら殺すことになるだろう。

（二〇一五年八月）

この紋所が目に入らぬか

沖縄の行政機構は、いまも植民地総督府の様式を踏襲している。県庁のうえに「沖縄総合事務局」があり、アドバイスという名目で、県の政策点検や予算執行など厳しくチェックしている。また米軍基地の心臓部である嘉手納には、「防衛施設局」があり、中央の軍事政策と直結している。さらに警察や海上保安庁なども県の行政権とは命令系統が異なり、中央直結の組織として機能している。そのために復帰後は行政や県議会の自立・自主性は失われ、公務員の顔は東京にしか向いていない。そういう情況のもとで、普天間基地や辺野古の問題は、民衆の直接民主主義の意志表示として、権力中枢にダイレクトに向かわざるを得ない。百姓の直訴と似た背水の陣である。

「沖縄防衛局は三日、県が取り下げを求めていた名護市辺野古の新基地建設の本体工事に向けた事前協議書について、取り下げないとする回答文書を県に提出した」(『沖縄タイムス』二〇一五年八月四日)これに対し翁長知事は「大変残念」と心情的な答えをしている。地方自治体の長として、地域の利害問題を協議することさえすれ違うという、こうした行政上の捻れ構造は、今回のケースに止まらない。

安保関連法案や憲法改正なども含めて、国政の目に余る強引さに対し、国民の批判も高まった。その危機をクリアーする手段として、辺野古協議期間を一カ月間設け、その間、現場の工事を止めるという。しかし移設の既定方針を変えないとなれば、翁長知事をいかに丸め込むかという策略にしかならない。

一方、県の対応も主体性を欠いた後手ばかりという印象。協議に入るなら、事前に承認取り消し、辺野古移設計画白紙を突きつけた上で臨むのが筋ではないか。これでは協議の先の筋書きは、「この紋所が目に入らぬか」にしかならない。

日本の政治感覚は「この紋所が目に入らぬか」から抜け出せないようである。ただの印籠一つにひれ伏し、理屈抜きに降参してしまう。協議って何？

明治十二年の琉球廃藩処分のときにもこの紋所が最期通告になっている。もっとも明治から敗戦までは天皇が紋所、戦後はアメリカ親分が紋所になっている。

（二〇一五年九月）

防衛費予算の不透明

新聞の朝刊を、待てよとまた開いた。二面の下段片隅の雑報が気になっていた。見出しは「防衛の概算要求五兆九一一億円計上　一六年度予算　過去最大」とある。辺野古問題や普天間基地撤去、離島防衛体制の強化など、防衛省の予算がどう組まれるかは、特に沖縄では目の離せない問題である。

「海洋進出を強める中国を念頭に、航空機での輸送に適した機動戦闘車三六両の購入費二五九億円を盛り込むなど離島防衛に重点」が置かれているという。また辺野古関係では、在日米軍再編事業として一五年度予算と同額の一四七二億円が「仮置き」で計上され、オスプレイ一二機分一三二一億円、宮古島に置く南西警備部隊の配置費用一九四億円などが計上されているとのこと。（八月二〇日『沖縄タイムス』）

一面トップで報じられ、解説まで必要とするはずのニュースが、つい見過ごしかねない雑報扱いになっているのはなぜか。デスクの判断が分からない。

防衛省予算に関連しては他にも分からないことが多い。装備はすべてアメリカ輸入なのか、国産もあるのか、産軍学複合体制の進み具合などはどうなっているのか、予算執行の骨格が不透明で、分からないことばかりである。

自衛隊が設立されたのは一九五四年だった。「直接侵略及び間接侵略に対し我が国を防衛する」ことが目的。この中の「間接侵略」では、デモなどの反体制運動も対象とされていた。憲法第九条を国の理念に掲げながら、同国民を攻撃することも折り込んでいたのである。自衛隊編成の際、前身の保安隊、警備隊にいた全隊員のうち約六%にあたる七三〇〇人が、自衛隊任務の宣誓を拒否して退官したという。ところが大戦への反省に基づく不戦の誓いも吹っ飛び、辺野古沖には、実際に軍艦が出動して威嚇している。

自衛隊創設以来の防衛予算が、現在までに総額幾らになり、その使い道がどうなっているのかもわからない。水族館の群魚が餌に群がるように、或いは映画「不毛地帯」の陰謀のように、激越なドラマが継続しているだろう。分からぬことのみ多かりき。

（二〇一五年一〇月）

辺野古は「日本の問題」か

ヤンバル鳥の里だった名護市辺野古がいまや、アジアにシフトした米軍事政策の最先端に晒されている。米政府は「日本の問題」だと高見の見物だが、さて。

オバマ大統領のアジアにシフトする、という政策には、二重の意味が含まれていると読む。一つはアジアに軍事的緊張を高めて、兵器輸出の持続的市場拡大を図る。もう一つは人口密度を狙って、農産物など生活物資の輸出拡大（TPP）。ところが安倍政権は、米軍事戦略に便乗した国内産業の軍事化を選択している。戦争しか頭にないアメリカの制服組だけをロビーにして、日本がもっとも敬遠すべき軍事戦略を請け負っている。なぜアメリカの良識をロビーにしないのか。アメリカの良識も、国内の巨大化した軍事産業を、どうすれば平和産業に転換できるかと頭を悩ましている。

日本は、戦後七十年経ても、戦勝国へのトラウマが強くなるばかりで、自主喪失の従属政策を強化し、理念を見失って迷走している。特に安保関係の政策では、主体性の確立といいながら、その傾向が顕著である。

近代化の過程で、日本がアジア諸国に強制した犠牲を考えると、軍事大国化は悪夢の再現でしかない。かつて併合された朝鮮も、近代化に遅れていた中国もいまでは先進化し、アジア諸国の国力は増強している。そういう情況下での、日本の軍事路線はアジア共食いの滅亡論にしか行き着かない。中国を仮想敵とした最前線の沖縄基地という妄想は、アジアで日本の孤立化を深めるだけである。

「辺野古」は国と県の訴訟沙汰に発展する気配だが、国と地方の利害対立で、法廷に持ち込まれたケースのうち、地方の期待する裁定が下されたのは、わずかな件数に過ぎない。ましてイデオロギー闘争に絡む訴訟では、憲法解釈までまげて裁決を下すような事例がみられる。

民主主義の法治国家では、三権分立が基本のはずだが、政権は官僚に依存し、司法は政権に弱いというもたれあいの体質が統治構造に根付いているからだろう。

「辺野古に新基地を造るな」というのは国の体質改善という意味で、まさに「日本の問題」である。（一〇月七日）

（二〇一五年一一月）

珍説「優生学」

ダーウィンの進化論を基礎に、医学分野で「優生学」が流行ったのはよいが、奇妙な方向へ思想が展開して、ついに第二次世界大戦という人類最大の悲劇を繰り広げてしまった。医療分野での一定の進化は良しとして、優生学が、政治思想へ枝葉を伸ばしたとき、とんでもない邪道へ暴走したのだった。悪名高いドイツのナチズムがその典型。ゲルマン民族を優生とし、ユダヤ民族をはじめ他の民族を劣等と位置づけ、そして人類進化というイデオロギーのもとでジェノサイドを正当化したのだった。

その優生学が、沖縄にも漂流してきて、首里士族の間で面白い解釈がなされたという。東洋人は鼻が低いから、視野が広く左右上下世界を見渡せる。しかし西洋人は鼻が高いから邪魔されて前方だけしか見えない、従って東洋人は優生だ、という珍説だったらしい。戦争しか見えない鼻高々よりは、鼻の低い沖縄人の方がはるかに世界を見渡している、と解釈すると、この珍説は捨てがたい。酒の肴にして笑ったが、待てよ、とまた悪い癖が出た。東洋人、西洋人というのは人種の概念だが、民族の概念ではない。民族という概念は何を根拠になり立ったのか。更に国民という概念が包み込んでいるのは何なのだ、と脱線してしまった。

近代国家になって、我が輩も「日本人」であり、「日本国民」には違いないが、

「日本民族」かと聞かれると、意識はもぞもぞしてウイとはすんなりいかない。皇民化教育のおかげで、間に合わせ程度の日本語の読み書きは出来るが、根っこの母語は、隙をついて噴き出し、発音の修正は難しい。戦前の軍隊教官なら、すぐにビンタを張って、「それでもおまえは日本人か、正しい日本語を使え」としごかれるところである。東大卒の西銘順治（故人）という知事は「日本人になりたいのになれない心」ということばで沖縄人の気持ちを表現した。この意識下のコンプレックスは、情況の如何で様々に噴出する。琉球独立という発想もその一つ。スポーツの国際試合では、紛れもなく日本のサポーターだが、国内試合になると沖縄対本土という対抗意識（沖縄ナショナリズム）に火がつく。

（二〇一五年一二月）

ナショナリズムの台頭

最近の日本国の進路は、法治国家から逸脱して、怪しげな暴走をしている。この逸脱の集中的被害を受けているのが、基地問題を抱える沖縄の立場である。そのために、熱っぽい差別論や、反ヤマトゥンチュ論が噴き出している。さて、前回の珍説優生学から見たら、どういう展開になるのか。鼻の低い沖縄人という珍説が成り立つとすれば、沖縄人が広く世界を認識しているということにもなる。確かに日米安保に絡む基地問題になると、日本人と沖縄人では、比較にならないくらい危機感が違う。

沖縄戦では、本土防衛のための戦略として「捨て石作戦」が遂行され、戦後処理では、天皇の国体護持で米軍占領下に放棄された。復帰したら安保条約を楯に過重な基地負担を強いられる、という政策的な差別が継続しているために、情況へ反応する意識が鋭敏にならざるを得ない。追いつめられた窮鼠の沖縄ナショナリズムが噴出せざるを得ない情況が、これでもかこれでもかとくり返される。基地問題の解決要請に出向くと、「非国民帰れ」のヘイトスピーチ。そういう情況を知性ではなく、感情で受け止めると「腐れ内地人《クサリナイチャー》」という逆ギレの悪態になる。復帰後沖縄の社会的人口は急激に増加した。その大方は「ナイチャー」である。また、基地経済に代わる成長産業の観光や、辺野古基地反対でも「ナイチャー」の動員は大きな比重を占めている。人々の流動現象と、情況に対する知性（思想）の連帯性から判断すると、沖縄人対日本人という対照性は揺らいでしまう。最近の情勢で気にかかるのは、防衛思想と関連したナショナリズムの台頭である。国民国家形成期ならともかく、多国籍資本の下で国家解体期に向かう現代に、ナショナリズムを思想の核に据えるのはアナクロニズムでしかない。そもそも自己防衛と国防を一緒くたにするから、泥棒戸締まり論がまかり通ることになる。「中国が攻めてきたら、おまえの家族を殺され、財産を奪われる。それでもよいのか。国を守る軍隊は必要だ」という理屈である。国防と自己防衛の混同が、こうした発想をもたらす。（二〇一六年一月）

異場の思想

「異場の思想」と文字で記すと、鬼面人を脅かすような印象である。しかし「その人の身になって、ものを考える」と言い直すと、何だそんな常識かということになる。ところがこの当たり前のことが難しくなっているのが、現代の生活環境である。情報化社会になって、世界の事件・事故は即座に受信出来るし、意識や感覚もすぐに反応するが、掌を返すように関心は移ってしまう。車の運転でカーブを切った途端に、別の風景に反応しているようなものである。

事件・事故の当事者は、生涯その体験に拘束される。沖縄戦のとき、慶良間諸島で起きた集団自決（死）で、身内のものに凶器を打ち込んだ少年は、その記憶を処理するために宗教に頼り、償いの生涯を送るしかない。この集団自決は、慶良間諸島だけで起きた事件ではない。サイパンや他の島々でも決行されている。陸続きの大陸なら、イラクやシリアのように難民となって危機を逃れる術もあるが、島で追い詰められると、殺されるか自死しか道はない。

一九七〇年代に、この集団自決を手がかりに「共同体論」が論じられた。友人の岡本恵德（故人）は、「水平軸の発想」を書き、島共同体の発想は水平軸に沿った遠近判断でその世界観を成り立たせており、集団自決（死）は、沖縄のすべての島で起こりうる可能性があった。自分がその極限的条件に置かれたら、身内を手に掛けたであろうという位置に立つことによってしか、この出来事は対象化できない、という意味のことを書いていた。

また、家永裁判（教科書裁判）で、この集団自決（死）は軍命によるものか、それとも島民の意志によるものかが争われた。屋嘉比収（故人）は惨劇を生き抜いてきた体験者に対する、「法による〝法〟の名を借りた暴力」だと批判した。

ここには文学的実存思想と法的制度思想の両軸から論が進められている。東京から来たルポライターが「おれは死にたくないとなぜ逃げなかったのか」と疑問を投げた。またある作家は「軍命ではなかった」と証言した。いずれも「異場の思想」が試されており、「異場の思想」でしか問題は解けない。

（二〇一六年二月）

立法・司法・行政の自主性の確立

民衆の自発的抵抗が、法廷闘争に持ち込まれたとき、大方は尻すぼみになって雲の上に消えていく、というのがこれまでの経験である。辺野古の新基地造成をめぐる闘争も、沖縄県と国家との司法闘争の土俵に移され、新聞にはやたら法律用語が乱舞するようになった。いまのところ現場闘争と司法闘争が連携しているが、司法闘争に軸足が移っていくと、また民衆の思いは的をはずされてしまう。

沖縄戦と米軍支配下の体験を元に、反基地闘争を持続しようと「一坪反戦」の運動が組織された。それがあれやこれやで法廷闘争に移され、いまでは組織名だけが残されている。五兆円のお手盛り予算で増強した日本軍は、民衆の反対など尻目に防衛という名の戦争挑発に余念がない。明治のころ、『南嶋探験』を書いた笹森儀助は「国ヲ守ルト家ヲ守ルトモト一理ナリ、人ノ家宅ヲ占ムルヤ周囲必ズ垣ヲ結ビ、表裏必ズ門戸ヲ作リ、門戸必ズ管鑰ヲ施シ、以テ盗賊ノ入ルヲ防ギ、以テ家族ノ安寧ヲ保ツ……」として南境の沖縄を移民地とし、軍備を配置せよと進言している。笹森が軍備配置を進言しているところが八重山である。

中国仮想敵視の理屈を追い風に、自衛隊は宮古・八重山に前線基地の造営計画を進めているが、八重山石垣の開南《かいなん》、於茂登《おもと》、嵩田《たけだ》の候補地区は反対決議をしている。また、与那国町では町民が沿岸監視部隊配備計画に対し「憲法の人権、生存権」保障に反すると建設差し止めの訴訟を起こしたが、那覇地裁は却下した。理由は「工事の続行が平和的生存権を侵害するとは認められない」というもの。

沖縄戦の体験を基礎にした「生存の不安」という心理が全く配慮されていない。司法自体が政権の支配下で独立性を失っているためであろう。立法と司法、行政の三機関の自主性を確立するためには、現在の選挙、内閣構成、党派組織など国家の基本制度の見直しが求められている。このような国家制度のもとで、政権に絡む司法闘争をすることとは、相手の土俵で相撲をとるようなものである。必要以上のエネルギーと手間暇を費やすことになる。（二〇一六年一月一〇日）

（二〇一六年三月）

小善大悪

『沖縄タイムス』(三月八日)の論壇投稿を読みながら、「小善大悪」という言葉が思い浮かんだ。良かれと思ってしたことが、結果として大悪を招くという事例は、日常にも歴史上にもままあることである。方法や手順を誤ると、思わぬ結果を招くことは確かだ。投稿者は九州大学大学院生で「本土に沖縄の基地を引き取る福岡の会」の活動者だという。

現在の安倍政権とそれを支える日本国民の「情況的不感症」に対する誠実な批判と苛立ちは良く理解出来る。「七〇年以上も犠牲を強いてきた沖縄を日米同盟の最前線にすることはもうやめなければならない。「日本人」として「沖縄人」と対等な関係で出会い直したい。だから私たちは引きつづき引き取り運動を続けていく」という主張である。「安保に基地が必要なら、本土に持って行け」という意見は沖縄側にも強い。これは国民の「情況的不感症」に対する怒りとしては正当である。

去る一月の宜野湾市長選挙では、安倍自民党が推す佐喜眞淳候補が当選した。「それ見ろ、知事のオール沖縄なんて看板だけ、沖縄は辺野古新基地を容認している」と得意顔のコメントがされていた。一方、負け組の市民の一人は、自《ヤ》棄《ケ》酒を呑んで「申し訳ない、恥ずかしい」と呂律の廻らぬ電話をしていた。集団的自衛権とか憲法改悪を企む安倍自民党が「オールジャパン」でないように、「オール沖縄」も看板どおりではない。

宜野湾市長選挙の結果は、市民の選択の健全性と読み取るほうが理にかなっている。「普天間基地は世界一危険」というのは市民の日常意識であり、「即時撤去」がのぞましい。しかし沖縄戦の体験は生々しく、もう戦争に巻き込まれるのはごめんだというのも本心。つまり辺野古新基地造成にも反対である。

さて、そこへどちらかを選択せよ、と迫られたら投票用紙を二枚くれということにしかならない。おそらく辺野古基地賛成か否かを問うたら、宜野湾市民は圧倒的に「否」と選択するだろう。基地を引き取るという小善と国家の軍事化を強化する大悪についても考えなければなるまい。

（二〇一六年四月）

危機感と鈍感

旧暦三月、沖縄では「清明祭」の季節である。寒さと暑さの境目で、天気が良ければ行楽に最適の時期である。私の女房方の親族は血縁的結束力が強く、「清明祭」になると、各地からいとこやはとこが重箱料理や菓子、ビールなどを準備して墓前に集う。町営の葬儀場と墓地が整備され、伝統の亀甲墓とは趣きの違った三角屋根のモダンな墓である。詰めれば二十名余も座れる墓前の空間も屋根付きなので雨が降っても困らない。

「清明祭」は十八世紀中頃に、首里王府や士族を中心に行事化されたようだ。

後生《グソー》で安らかに眠って下さい、と送られた祖先の霊たちは、背伸びしてあくびをし、目をこすりながら、子々孫々の健在を確かめ、ウンとうなずいて一座に仲間入りするのである。祖霊たちは食べ物の香気だけで満足する。

紅色縁の蒲鉾を挟んだ箸を止めたまま、香気に感応するなら臭気にも音気にも感応するのでは？　と例の妄想癖がはじまった。墓地の周辺には間近にカデナ弾薬庫がある。核弾頭や生物・化学兵器が貯蔵されていると推測されている。そこではセンサー代わりに山羊や兎が放し飼いされていた。毒ガス移送のセレモニーのあとから、三重の金網ゲートに囲まれ、日米地位協定の治外法権で目隠しされてしまった。

一九六八年には十一月、十二月と連続して、弾薬庫の近くに離陸失敗と、着陸失敗のB52爆撃機が墜落炎上し、人々を震え上がらせた。「B52帰れ」と二・四ゼネストを計画、抗議しようとしたが、抑えられた。ベトナム戦争に関連しては、マングローブ焼き払い戦術で、七六〇〇万トンの枯葉剤がばら撒かれている。
二〇一三年には沖縄市サッカー場建設現場で、ダイオキシン類を含む枯葉剤メーカーの錆びたドラム缶が、数十個も発掘された。嘉手納の民家の井戸水は燃え、北谷町《ちゃたん》の住宅地からは危険基準値をはるかに超すダイオキシンが地中で見つかり問題になっている。県の浄水場も同じく汚染、カデナ飛行場からは、燃料や軽油、汚染された洗浄水が周辺の川や海に四八万リットルも垂れ流しされている。挙げれば切りもないが、親族行楽の「清明祭」は、こうした危機的環境で鈍感に営まれているのである。

（二〇一六年五月）

無駄な法律

二〇世紀末から二十一世紀初めにかけて、日本国の進路は大きく舵が切り替わった。北朝鮮のテポドン実験に国民の目を釘付けにして、その間に軍事国家への基礎を固めてしまった。「周辺事態法」、「通信傍受法」、「国旗国歌法」、「改正住民基本台帳法」が一九九九年、「テロ対策特別措置法」が二〇〇一年、「イラク特別措置法」、「有事関連法」が二〇〇三年には上程されている。

社会の秩序を維持するには、一定の法律は必要であろう。しかし、法律をつくることを職業とする国会議員の役割を肥大化させるとロクなことはない。やることがなければ昼寝でもしておればよいものを、手柄を立てるために余計な法律を山積みする。法律に否定的な発言をすると、すぐアナキズムなどと烙印を押すが、現在二重三重にわたしたちを抑えつけている法律を、一つ一つ意識すると、海底へ潜って呼吸もできない状態になっている気分である。

特に「守るべき」という法律は国民に対する統治者の不信感の表明でしかない。自分を守るのは生命本能であり、余計なお節介である。国防という国民総動員の法律が、敗戦の際、どんな矛盾と悲劇を展開したかを国民は歴史認識として共有している。

必要のない法律を見分けて廃棄することが国会の仕事であって欲しいと思う。訴訟は、人間の悪知恵の勝負だということを弁護士帝国のアメリカで発言している人がいた。法の正義という仮面の下で舌を出し合っている悪知恵を、知性の所産として浪費するのは人類史的に見て罪悪でしかない。意味のない法律を廃していく、それが当面する課題だと思うけど、日々のニュースは新たな立法ばかりである。

安倍政権は憲法改正に着手しているようだが、改憲なら、九条二項だけ残して他の条文は削除してもよい。あとは国民の知恵で、情況を切り拓く方法を保障しておくこと。憲法は公私の倫理だ。夏目漱石の憲法は「則天去私」だけで良いし、国民の憲法は聖徳太子憲法の一部で足りる。私めの憲法なら「離脱偏計所執性、覚醒依他起性、得度円成実性、是即菩薩道」だけで十分だと思っている。

（二〇一六年六月）

3　考古学の視点から

元・沖縄県立博物館・美術館館長
／沖縄県立芸術大学名誉教授　安里　進
一九四七年生。考古学・琉球史。『琉球の王権とグスク』（山川出版社）他。

彦山丸事件と朝鮮人軍属の埋葬

今年二月、「本部《もとぶ》町健堅《けんけん》の遺骨を故郷に帰す会」の依頼で、朝鮮人を含む沖縄戦犠牲者埋葬地の発掘調査に参加した。

発掘の目的の一つは、強制連行されて戦死した朝鮮人の遺骨を考古学の手法で取り上げて、ＤＮＡ鑑定のうえで故郷に帰すことだ。韓国から考古学の発掘調査団が参加し、私も、沖縄側の発掘指導者として関わった。

彦山丸事件は、地上戦が始まる前の一九四五年一月に起きた。健堅集落に近い渡久地《とぐち》港沖で、臨時徴用船彦山丸が米軍機に襲撃されて乗組員十数名が犠牲になった。その中に朝鮮人軍属の明長模（二六歳）さんと金萬斗（二三歳）さんがいた。

乗組員の遺体は、健堅海岸で火葬されて近くの畑に埋葬された。埋葬から四ヶ月後に米軍が撮影した埋葬地の写真が、当時の雑誌『ＬＩＦＥ』に掲載されている。海辺の丘に竹柵で囲んだ埋葬盛り土に一四本の墓標が一列に立てられ、所属・階級・氏名が記されている。墓標の下にはビール瓶?が転がっている。供養の品だろう。

日本に強制連行された朝鮮人の多くが差別され、酷い扱いを受けた。渡久地港でも日本兵が朝鮮人を虐待していたという証言があり、私は、彦山丸の朝鮮人も粗末に埋葬されたと思っていた。

ところが、『LIFE』写真を分析するとまったく異なる結果になった。適当に立てたように見えた墓標の配列には、序列があったのだ。中央に①船長、船長の左右に②航海士と機関長、その左右に③事務員・上等水兵、さらにその左右に④機関部などの軍属、両端に⑤未成年という、階級と年齢による配列だ。朝鮮人の墓標は、未成年の日本人より上位で、④の序列に日本人とともに立てられていた。彦山丸の生存者が、二人の朝鮮人を差別せずに丁重に埋葬したようだ。

残念なことに、埋葬地周辺の風景が戦後の造成で様変わりしたため、大規模に発掘したものの埋葬跡は発見できなかった。代わりに、沖縄戦を先入観で見てしまう自分の発見があった。歴史の現場では、ステレオタイプの歴史観ではとらえきれないさまざまな場面があったのだろう。

（二〇二〇年九月）

沖縄戦の遺骨収集と「戦死者の証言」

沖縄戦の「遺骨収集」を、ボランティアの方々が毎年行っている。頭が下がる思いだが、狸掘りのような遺骨収集をつづけてよいのか？　考古学を学んできた者として疑問がある。

遺骨収集には、戦没者の慰霊と沖縄戦の実相を考えることで次世代の平和につなげるという目的や、遺骨を遺族のもとに帰したいという思いがある。

しかし、遺骨収集の場所は戦争遺跡＝戦跡でもある。戦場の実態を解明するうえで重要な遺跡だ。そのために考古学による発掘調査が実施されている。発掘では、戦争の生々しい現場がタイムカプセルを開いたように地下から現れ、出土した遺骨については、その人が戦死に至った状況を考古学的証拠で解明する。これは、自らの死骨で語る「戦死者の証言」を聴き取る作業でもある。

しかも「一回限りの証言」だ。遺跡は、一度掘り返すと二度と同じ発掘調査ができない。その意味で、今の遺骨収集方法は、戦場の情報とともに「戦死者の証言」も永久に失う行為でもある。

「戦争体験者の証言」もあるが、世代交代による記憶の風化は避けられず、十数年後には、次世代が沖縄戦の実相を生で感じることができるのは戦跡だけになる。こうした重要性をふまえて、戦跡は、文化財保護法の埋蔵文化財として保護すべき対象になっている。

ただし、どの戦跡を埋蔵文化財と認定して発掘調査などの保護措置を行うかは各自治体が判断する。だから、遺骨収集の前に、地元教育委員会と遺骨収集について協議しなければならない。

地元教委が戦跡を発掘調査し、これに遺骨収集ボランティアが参加して、遺骨に「戦死者の証言」を添えて遺族に帰す方法もある。前回紹介した健堅《けんけん》の戦死者埋葬地発掘は、地元教委と調整のうえで考古学の方法で試みた遺骨収集だ。

また、戦跡は数に限りがあるので、あえて発掘せずに保存し、次世代が「戦死者の証言」を聴く機会を残すことも必要だ。「戦死者の証言」を永久に失わないためにも、遺骨収集の方法を見直してほしい。（二〇二〇年一一月）

首里城の大龍柱はどこに向いていたのか？

猛火に耐えた大龍柱。瓦礫と化した首里城正殿の前で直立する一対の〈向き合う〉大龍柱は、正殿とともに沖縄アイデンティティの象徴になった。この大龍柱を、令和の正殿復元では〈正面向き〉にしようという声が上がっている。

大龍柱の向きは、平成の復元直後から議論になった。復元を主導した高良倉吉氏は、詳細な図面がある一七六八年の修理記録をもとに復元したので、向き合いでよいとした。一方、大龍柱の制作を担当した西村貞雄氏は、明治の正面向き写真を根拠に、戦前、正殿を沖縄神社にした際の修理で狛犬風に向き合いにしたから、正面向きに戻すべきだと主張していた。

焼失した正殿の再復元で、大龍柱正面論が再燃している。新聞論壇に、正面向き復元を求める署名サイトを立ち上げる投稿が掲載され、那覇市議会でも、正面向き復元に賛同する議員が、市の見解を質している。こうした主張の背景には、日本の神道的価値観で琉球文化の象徴が歪められたという思いがあるようだ。

しかし、大龍柱をどの向きにするかは歴史事実と復元方法の問題であって、アイデンティティの観点から署名を集めて変更を迫るような問題ではない。

復元正殿のモデルは、一七一五年建造の正殿だ（沖縄戦で焼失）。建造当初の大龍柱は正面向きだったが、一七六八年の改修で向き合いになった。同時に正殿の唐破風と正面階段の形を大きく変え、屋根瓦も当初の灰色瓦を赤瓦に葺き替えたようだ。一八四六年の修理も同様で、大龍柱が向き合いのまま王国は滅亡した（『沖縄県史　図説編　前近代』の拙論参照）。明治の大龍柱は、琉球処分で首里城に駐屯した日本軍が正面に向けた可能性が高い。

平成復元は、一七六八年修理以後の正殿と大龍柱を復元したものだ。一七一五年建造時の正面向きにするのも一つの方法だが、正殿の形も屋根瓦も再建当初の姿にする必要がある。灰色瓦の正殿で良いとしても、この時期の詳細な図面は残っていない。想像逞しく建築するほかはないが、これでは似て非なる正殿にしかならない。

（二〇二〇年一〇月）

大龍柱問題と学術研究・世論・新聞報道

前稿で「大龍柱が向き合いのまま王国は滅亡した」と書いたが、これは訂正しなければならない。前稿掲載後の二〇二〇年一一月に王国末期（一八七七年）首里城正殿の古写真が新たに確認され、大龍柱が台石の上で正面を向いていたことが明らかになったからだ。

ただし、この古写真の大龍柱の形は、正殿の復元年代（一七六八年）にまで遡らせることはできず、復元年代当時の大龍柱は台石上で向き合っていたというのが歴史研究者として私の意見（学説）だ。

さて、ここからが本題である。

王国末期古写真の登場で、大龍柱の復元をめぐる新聞報道と世論は、正面説に雪崩れ込んだ観がある。地元新聞は正面説を評価する社説を載せ、投稿欄にも正面説が「正しい」という主張が相次ぎ、ネットでも正面説を支持する書き込みで溢れた。正面説を主張する団体が、六千人余の署名を集めて国に対し正面向き復元を迫っていると新聞は大きく報じていた。

潮目が変わったのは二〇二二年一月三〇日だ。この日、国の「首里城復元に向けた技術検討委員会」は「報告会」を開催して、二カ年にわたる分析・検討結果を公開した（首里城公園ホームページで見ることができる）。私も委員の一人として九六ページの意見書を載せた。報告会参加者へのアンケートでは七六％

が「参考になった」と回答している。

「報告会」以後、新聞から正面説を支持する投稿が消えた一方で、正面説の主張と行動は先鋭化している。「報告会」資料にはデータ改竄・捏造による不正行為があると主張する論考を新聞に寄稿し、さらに新聞掲載を受けて国の委員個人に対する不正調査委員会の設置を大学や国に要求した（その後、この正面説研究者は自らの主張の誤りを認め、国・大学・新聞社に謝罪している）。

大龍柱の復元をめぐる経過をふり返ると、学術研究と世論・新聞報道の在り方について考えざるを得ない。対立する一方の学説を署名や世論という多数の力で支持し、これを議会という政治の力で「正しい学説」として決着させると、学術研究の独立は崩れ去ってしまう。新聞報道は、こうした社会の空気をつくり出したのではないか。

（書き下ろし）

4　ハイチャースガ・ウチナー

彫刻家　金城　実

一九三九年生。作品に「チビチリガマ世代を結ぶ平和の像」「隠れ念仏」他。

京都大学による琉球人遺骨盗掘問題とは

京都大学による琉球人遺骨盗掘事件という問題には、裁判を通じてあらためて琉球民とは何か、琉球の宗教と日本国家による植民化にどのようにわが琉球は向き合って来たのか、また戦中・戦後から今まで続く日本政府による沖縄への不当な仕打ち・差別のありようにまで及ぶ。それは、今の沖縄の私達だけでなく、未来を担う子孫に向けての、品格をかけた闘いにしたい。

盗まれた遺骨から何を学ぼうとするのか。それは琉球・沖縄の植民地化や、天皇を中心とする差別と同化政策の最大の震源地はどこにあるのか、ということである。コロナ禍で外出できない中で、再々再度放映されるＮＨＫの大河ドラマ「麒麟がくる」にほとんどの日本人が感動しているが、まさにこのドラマの人物たちが、わが琉球や台湾、朝鮮へと植民地政策を進めていったのだ。その流れを追って行く。

豊臣秀吉から始まって徳川家康、そして薩摩支配下の時代を経て今日まで、日本政府と沖縄の関係はほとんど変わっていないのに気づくだろうか。一五八七年、豊臣の全国平定の中で敗北した島津氏は、秀吉による九州支配下で、琉球国に貢ぎ物を強要する。一五九一年には秀吉が朝鮮出兵を決めると、沖縄に七〇〇〇人・十ヶ月分の兵糧米の供出を命じ、三度の催促に遅れると、琉球領だった奄美大島の割譲を持ちだして、それを口実に琉球を侵略。そして島津氏は、今帰仁城《なきじん》を陥落。これが第一次琉球処分であり、それが東アジアへの植民地化の歴史の幕開けとなった。

今帰仁はまさに今回の、盗掘された琉球人たちの墓である。京都大学は人類学の研究資料として遺骨の返還を拒否しているが、それはまさに日露戦前夜に開かれた大阪勧業博覧会の人類学術館に陳列された台湾、アイヌ、琉球、朝鮮を見せものにした事件を想起させる。あろうことか沖縄戦場に埋まっている遺骨のある土砂を辺野古の米軍基地に投げ込むという。その政府の悪質な仕打ちは、これまでも行った戦争の記憶を沖縄から消すもので、それに抵抗できるかウチナンチュ人は試されている。ハイチャースガ、ウチナー。（二〇二一年四月）

沖縄戦は教科書から消えて行くのか⁉

またかい。教科書に記述された沖縄戦が消えて行く。それは、歴史をゆがめていくこの国の教育行政においては、特に一九八七年の沖縄国民体育大会での「日の丸」「君が代」の強制によって沖縄県が、特に沖縄教育界（組合も含め）は、スポーツが政治に屈服してしまったことから始まって、今日まで来てしまったと見るべきであろう。

先日、沖縄の新聞で「ひめゆり学徒隊」を「ひめゆり部隊」と軍人に格上げすべく、「慰霊碑」を「顕彰碑」とする検定の教科書がでた。文部科学省があの手、この手を悪用して、未来の日本の子どもたちにウソの歴史を教えるようになるとは、耐えがたい。

私はかつて朝日新聞社と沖縄タイムス社共催の「ひめゆり乙女」全国巡回展

に向けて依頼された彫刻制作があり、その題名を「第三外科壕」とした。

制作中のことだが、私は高校卒業してまもなく映画「ひめゆり」を見た。美しい女優俳優たちの献身的愛国心の映像に胸うたれて涙をながした記憶が残ってた。しかし沖縄戦の教科書記述に関して、軍命の有無に関する家永三郎教科書裁判が沖縄で開かれた、そのことを知ることになり、朝日とタイムスからの依頼の作品は、「ひめゆり乙女」とはまったく異質の作品になるという結果がでた。

それは乙女の姿ではなく、るいるいと重なりあう屍と、それを上段から見下ろす母の目線を描いた作品になった。作品は巡回展が終わってからも沖縄県平和祈念資料館の倉庫内に封印され、一度も展示されなかった。さらにそこから取り返し、名護市の資料館に移した。そこでも封印されたままになって、最終的に不思議な因果か、第三外科壕のあった、近くの南風原《はえばる》町の平和資料館になった。たらいまわしにされたのだが、これは沖縄内部において日本の教育行政に対して甘いだけでなく、ボタンのかけ違いもあった。

日本政府の沖縄に対する挑発的弾圧については、メディアも教育も足腰が弱い。反権力的表現が今ためされていることを心して、おのれの脚元を見ていくしかない。次は「隠れ念仏」についてお伝えしたい。


（二〇二一年五月）

「隠れ念仏」をめぐって

そもそも「隠れ念仏」のテーマは、読者のみなさんに戸惑いを起すものであるかも知れない。

「隠れ念仏」についてのレポートと並行して、このテーマで彫刻作品の創作を行なって来た。すでに完成に近く、場所は私の家の敷地内である。ライトアップも施していて、何か神聖なる空気が流れているように思える。が、どうだか。

この作品については、辛淑玉《シンスゴ》の『週刊新社会』連載「たんこぶ」第五七〇回

「カタルーニャと沖縄（下）」にある。

「ガウディが追い求めた世界と、沖縄の彫刻家金城実が追い続けている世界が、どうしてもつながって見える。金城実の『隠れ念仏』は、誰もが平等な『浄土』であるべきこの世で理不尽な権力と闘う者たちの、祈りと人間としての誇りを造形している。サグラダ・ファミリアと違って『隠れ念仏』はモノトーンだが、不思議なほど色を強く感じさせる。」

この文章にある「浄土」「隠れ念仏」から、浄土真宗の開祖、親鸞が浮かぶ。親鸞と沖縄の関係については、高等学校教科書『新日本史』の記述をめぐっての家永三郎教科書裁判（一九八三年）がある。㈠沖縄戦での集団自決について、軍の命令があったもので、自ら進んで死んだのではない、と主張。㈡念仏弾圧を受けた親鸞が朝廷に抗議した、という文言を、国側が〝抗議〟ではなく抗議の意思の〝追憶〟であるとしたが、抗議であると反論。

親鸞が流罪にされた事件とよく似た事件は、琉球史にもある。琉球が薩摩の支配下に置かれていた時代、一七三四年、琉球国王尚敬に対して、抗議や、文学による批判があった。尚敬王が自ら禁酒の碑文を書いたことに対して、「誰のほれ者の筆とやい、書ちゃが酒や昔から恋の手引き」――この落書は、〝どこのバカ者が〟と批判しているのである。これらの落書で処刑された文学者が、平《へ》敷屋《しきや》朝敏《ちょうびん》である。まさに親鸞の「主上臣下（天皇やその臣下は）、法に背き義に違し」。

親鸞や平敷屋朝敏らの反権力の生きざま、ヤマトゥ世《ゆ》からアメリカ世《ゆ》の流転で日本軍から米兵へとあだ花を咲かせて生きた娼婦たちこそが、私の「隠れ念仏」の本題である。


（二〇二一年六月）

5　石垣島の現在

沖縄社会経済史研究室　川平成雄
一九四九年生。『沖縄・一九三〇年代前後の研究』（藤原書店）他。

「石垣市自治基本条例」の改悪を衝く

「石垣市自治基本条例」は、石垣市の憲法である。だが、一人の市議の画策による議員提出議案の議会提示、それに賛同する与党市議一〇人によって改悪されてしまった。

一人の市議とは、現在、陸上自衛隊ミサイル基地建設が進行中の土地を防衛省に売り払った友寄永三《ともよせえいぞう》である。この友寄議員提出議案には、決定的な誤りが三点ある。第一点は、賛成者がゼロということ。石垣市議会会議規則には「二人以上の賛成者とともに」と明確にうたっている。第二点は、議案は箇条書きで文章になっていないこと。地方自治法には「議案の提出は、文章を以てこれをしなければばならない」とある。第三点は、「石垣市自治基本条例」は二〇〇九年に制定されたが、二〇一六年三月議会で改正案が与野党全員一致で可決されて現在の条例になったこと。

このことを知らないはずもないのに「条例制定から十一年が経過し、その間にさまざまな批判や疑問が出ており、改正の必要がある。これが、この条例案を提出する理由である」とは。

改正案は、第二条第一号中「市内に住み、又は市内で働き、学び、若しくは活動する人」を「市内に住所を有する人」に改める。第二七条および第二八条は削除。第四二条第一号中「この条例は、市政運営の最高法規であり、」を削る。何の根拠も示さずに、住民投票を規定する第二七条および第二八条を削除する。これまでの住民投票によって市政運営が阻害でもされたのか。両条の削除によって、市民の市政参加の権利が奪われた。

最も許し難いのは、中山義隆《なかやまよしたか》市長の姿勢である。中山市長は、自治基本条例審議会の会長から答申を受け取る際、「答申をしっかり検討して成果をまとめたい」と述べた。なお、第二七条および第二八条にたいする答申は「市民の権利及び市の責務についての具体的な内容が判然とせず、両条文の整合性にも疑問があるため、抜本的な検討が必要である」となっている。だが、改正案可決を受け、「答申に沿った内容。再議は考えていない」と言い放つ。改正案のどこが「答申に沿った内容」なのか。何という無責任な発言だ。

（二〇二二年一月）

住民投票を求める裁判闘争の現在

「石垣市住民投票を求める会」は、二〇一八年一〇月三一日から一一月三〇日にわたって、石垣市平得大俣《ひらえ》地域への陸上自衛隊配備の賛否を問うための署名運動を展開、有権者総数三万八七九九人の約四割を超える一万四二六三筆を集めた。

住民投票を実施するには、石垣市自治基本条例が不備のため、手続き上、「石垣市平得大俣地域への陸上自衛隊配備計画の賛否を問う住民投票条例案」を議会で通す必要があった。だが、市議会は否決した。それは、石垣島の将来を憂える住民の意思を無にしたに等しい。

翌二〇一九年九月一九日、住民投票を求める会は、石垣市自治基本条例第二八条四項「市長は、所定の手続きを経て、住民投票を実施しなければならない」

の規定に基づく住民投票の実施義務の履行を求める訴訟を那覇地方裁判所に起こす。だが、翌二〇二〇年八月二七日、那覇地裁は、訴えを却下する門前払いの判決を下した。

そのため、九月八日に、不当判決の破棄と住民投票の実施を求めて、福岡高等裁判所那覇支部に控訴する。翌二〇二一年三月二三日、福岡高裁那覇支部は、一審の那覇地裁判決を支持、実施条例の制定がなければ住民投票を実施する権利が生じないとして棄却した。

同年四月一日、住民投票を求める会は、控訴審判決を不服として福岡高裁那覇支部に上告状を提出する。加えて六月三日、二審判決が憲法や法令違反しているとした上告理由書を福岡高裁那覇支部に提出する。結果、八月二五日、最高裁第二小法廷は、上告の理由に当たらないとして棄却を決定、「住民投票を求める会」の敗訴が確定した。

最高裁の判決四か月前の四月二九日に、住民投票を直接請求した場合、有権者が投票可能な地位にあることの確認を求める当事者訴訟を那覇地裁に提訴していたので、すぐさま次の行動に移った。一〇月一九日には第一回公判、一一月二一日には第二回公判が開かれ、司法にも勇気ある判決を、住民投票の実施を、と訴える。第三回公判は、今年、三月一日の予定である。那覇地裁がどういう判断を下すのか。注視したい。（二〇二二年二月）

石垣島の自然環境を次世代へ

石垣島では、現在、陸上自衛隊ミサイル基地建設（四六ヘクタール）、ゴルフ場付大規模リゾート開発事業（一二七・四ヘクタール）が進められている。

二〇一八年七月一八日、中山義隆《なかやまよしたか》石垣市長は、突如、陸上自衛隊の石垣島への受け入れを表明する。その約一か月前に開かれた「初の」市民意見交換会の後、中山市長は、交換会は全市民を対象にしたものであり、十分に意見を聞けたから、今後、交換会は開かないと明言した。当日参加したのは二〇〇人余で、六月一日現在の有権者三万八七九二人の、わずか〇・五％にすぎない。この数値でもって十分に意見を聞けたとは、憤りを飛び越えてあきれ返る。

基地建設の「地」は、沖縄の最高峰の於茂登岳《おもとだけ》（標高五二六メートル）の山麓で、石垣島の中心部分にあたる。島人の生命を守る水源の地であり、カンムリワシをはじめとする希少な生物が宿る地であり、沖縄本島からの移住によって苦難の中で開拓された地である。

リゾート開発事業の「地」である前勢岳《まえせだけ》北斜面は、石垣島の中でも自然豊かな一帯である。数多くの希少な生き物が繁殖・生息する場所であり、牧草地としても重要な農業振興地域である。四〇メートルにも達するホテルやリゾート施設の夜間照明は、光害を発生させ、動植物のみならず近くに立地する石垣島天文台にも悪影響を及ぼす。下流域にはラムサール条約に登録されたアンパル湿地があり、島人の心の拠り所となっている。同事業は、森林伐採、赤土汚染、農薬汚染、地下水くみ上げによる地盤沈下、塩水面上昇による田畑の塩害など、様々な弊害をもたらす。だが、この開発事業の推進者もまた、中山市長である。

石垣島の将来をどうするのかを決定する権利は、自然豊かなこの島を慈しみ、育て守ってきた島人がもっているのであって、中山市長がもっているのではない。

二月二七日投開票の石垣市長選が、石垣島の自然環境を次世代へ繋ぐかどうかの天王山となるのは間違いない。市民が、どのような意志を示すのか。

（二〇二二年三月）

6 戦後沖縄の存在証明

沖縄近現代史家　伊佐眞一

一九五一年生。『沖縄と日本の間で』上中下（琉球新報社）他。

戦後沖縄精神の腐食

日本の敗戦でヤマトにＧＨＱが君臨したとき、沖縄ではアメリカによる武力むきだしの軍事支配が始まった。昭和天皇と日本国政府――つまり、日本人の総意によって日本から分離された結果が、特異な沖縄戦後史を形成する。「捨て石」となった沖縄戦のあと、かろうじて生き残った住民の生活は、日本本土のそれとは、天と地ほども違っていた。破壊の限りを尽くした土地と死者のうえで、人びとは狭い痩せ地を這いずるように、ただ生命を維持するために生きる人間にもみえた。

それでも、この人間集団は地獄の経験を境にして、ひと皮もふた皮もむけた住民共通の人生観を身に刻み込んでいく。

思うに、よくもこれだけ長い年月、日米の政治力学がこの島々に集中し、人びとを抑圧し続けてきたのかと驚く。沖縄への社会的構造差別がみごとなほど浮き出ているのだ。「復帰」以後でいえば、一九九九年に沖縄中を震撼させた新平和祈念資料館を舞台にした展示改竄が、その一例である。沖縄戦を語る際、絶対に忘れてはならない事実を、稲嶺惠一知事と牧野浩隆副知事の県政が、沖縄研究の御用学者とともに、行政権力で意図的に隠蔽し、骨抜きにしようとした事件である。

「反日的であってはならない」という知事発言が象徴していたように、日本軍による沖縄住民のガマ（避難壕）からの追い出し、食糧強奪、琉球語を使う者をスパイと見なしての虐殺、そして慰安婦の存在抹殺など、よくもこうまでと声を失うほどに記述が覆い隠されようとした。しかも、それが日本政府からの圧力もさることながら、沖縄人自身の積極的行動だった点に、ことの深刻さがある。まったくもって噴飯ものというしかない。

こうなると、その後はどうなるか。「強制集団死（集団自決）」は、日本軍の強制ではないと文科省が教科書で大っぴらに開き直る。そして現在、戦死者の血と涙と遺骨の染み込んだ戦跡地の土砂を、あろうことか辺野古の新基地建設の埋め立てに使用するというにまで至っている。ここでも沖縄人が堂々たる役割を果しているが、沖縄戦の教訓はこのレベルにまで、倫理観が暴落してきているのである。

（二〇二一年七月）

琉球諸語で臍《ほぞ》を噛む

二〇二一年現在、沖縄は日本国の一県である。一八七九年に武力で併合されて約一四〇年。日本が施政権を米国に放棄した軍事支配の二七年を差し引くと、琉球人は一世紀ちょっとを日本人と同居したことになる。ひとつの国家内に別言語のアイヌ語があって、しかも琉球語が大きな支配権を有する地域があるのは、明治政府の統治にとって何よりの障害であった。しかも琉球弧には、沖縄島北部の国頭語《くにがみご》と、首里を中心にした沖縄島中南部の沖縄語《ウチナーグチ》のほかに、奄美、宮古、八重山、与那国がこれまた独自の言葉をもっていた。それゆえに、日本《ヤマト》から来た政治家や官僚、教員、商売人たちは、琉球人と通訳なしにはまったく意思疎通ができなかった。それほどまでに琉球は外国だったという厳然たる事実を思い知らされたわけである。

そして始まった沖縄での公教育の目的が、徹底的な日本語教育となり、その普及の結果が今日の状態ということになる。天皇の存立基盤がゼロだった歴史と風土は、琉球諸語を日本語の「方言」に格下げして組み込むことで、琉球人の「皇民化」を達成したといってもよい。

しかし、こうした基本認識はすっかり忘れ去られてしまったようだ。なぜなら、琉球・沖縄研究をする場合の大前提——琉球諸語の学習・修得が研究の第一歩だとする学者がほとんどいないからである。これはさしずめ、シェイクスピアを研究するのに英語ができなくてよい、ゲーテやマルクスを理解するためにはドイツ語がわからなくても一向に構わないというに等しい。なぜ、オモロを日本語で読むのか？　つまり、それだけ日本語という外国語が沖縄県内で流通・公用語化し、日本《ヤマト》の感覚と物差しで琉球・沖縄を裁断することが一般化しているからである。

かつて琉球諸語が充満していた世界は、いつしか昔話や芝居、琉球芸能の一隅で鑑賞される対象になり、生活言語としての主体的地位はますます小さくなっていく。薄っぺらな日本語の沖縄文化が栄えて、身体をもった琉球人の舌は借り物になり、人間はいよいよ軽薄になる。日琉同祖論にひそむヤマト菌が、琉球・沖縄を蝕んでいるとは思いもよらないらしい。

（二〇二一年八月）

沖縄シンパの試金石

伊波普猷《いはふゆう》に代表される「沖縄学」の源流は、琉球を武力で侵略した隣国、明治政府の沖縄調査が基盤になっている。侵略者というのは、洋の東西どこでもそうだが、支配地を土地の人間以上に詳しく調べたうえで、それを統治に役立てるものである。戦後沖縄の場合も同様で、米国と日本政府の政治家たちが沖縄に身を「寄り添った」のも、まさにそれ。沖縄ではいまだに、ひところの自民党には沖縄の苦しみをわが身のこととして理解してくれる者がいたのに、昨今の安倍とか菅とかはまるで違うなどと言う声をよく耳にする。比較すれば差があるのは当然で、問題は彼らに共通する根本目的が何であるか、それが見据えられていないからであろう。ヤマトにとって沖縄の何が最も「価値」があるのか、なのである。

そこでいまの沖縄だが、コロナウイルスが世界を席巻するまでは、年間一千万の入域観光客であふれかえっていた。亜熱帯の自然でレジャーを楽しみ、琉球王国時代の伝統料理や文化を満喫し、ついでに広大な米軍基地も目の保養にしていたはずである。「異国」情緒を堪能して帰っていくのは、それはそれで結構なことである。そして、沖縄を好きになってリピーター客になってもらえれば、沖縄経済にとってもなおさらいいと思う。

こうした「沖縄びいき」は、かつて茅誠司《かやせいじ》だったたか、「沖縄病」にかかったという表現をしたくらい、長い歴史がある。官僚、実業家、運動選手、沖縄移住者など、広い範囲にわたっている。ところが、米軍基地のヤマトへの県外移設論が沖縄で出てきて、それに呼応するように基地の引き取り運動が日本《ヤマト》の側で起こってきたあたりから、「理解者《ファン》」の風向きが変わってきた。そして沖縄の独立を目標とする主張が沖縄で強くなるに及んで、揶揄と反感、敵意が眼につくようになる。しかし、これは何も保守層に限った話ではない。沖縄通の進歩派と思われてきた学者や評論家のメッキを引っ剝《ぱ》がす作用もしたのであって、米軍基地問題の威力を、改めて見せつけてくれた。人間の評価は、「棺《かん》を蓋《おお》いて事定まる」という。さすがに古人はよく言ったものである。

（二〇二一年九月）

7　拒否権を無くせないなら

文芸批評家　比屋根 薫

一九四七年生。『琉球的思考の花歌』（沖縄タイムス社）他。

「反復帰」論

「ニッポン復帰五十年」に確認しておきたいことは、米軍支配の圧政から逃れて、平和憲法をかかげる「祖国ニッポン」へ身を焦がした「祖国復帰幻想」に否をつきつけた「反復帰」論こそは、外部的には薩摩と大日本帝国の琉球侵略以来の、内部的には歴史はじまって以来の、沖縄にはじめて登場した思想の自立だったということだ。

新川明は始めのころ、たんなる「復帰運動」反対ではなく無批判に国家に従属する事大主義的復帰思想を批判するために「反復帰」論というかっこつきの表現を用意周到に使っていた。

この五十年のどこかで時代の激動がかっこを洗い流して不要にした反復帰論は、「ニッポン復帰五十年」の今年、沖縄の現代思想の土台構築を完了していたことがはっきりとわかった。だれでも、沖縄の現状をなんとかしようという意志さえあれば自分の目で確かめることができよう。

二〇二二年参院選に立候補する金泰泳《キムテヨン》が「在日コリアンの自殺率が非常に高いのは展望が持てないからではないか。私は朝鮮人でも日本人でもどれでもない。既存のものではなく、日本人が求める在日像でもなく、新しい在日像をつくっていきたい」と発言している（『週刊金曜日』六月一七日　１３８１号）。

かつて一九七一年の特別国会で爆竹騒ぎを起こして欺瞞的な「施政権返還」に対して、法廷で琉球語（三人はそれぞれ八重山石垣語、宮古語、沖縄本島語を使用した）を使用することで、裁判官を、日本語を使いなさい、と激昂させて異議申し立てをした沖青同の在日沖縄人の友人をもつ私たちには、金泰泳の発言はわがことのように心に響く。何十年もニッポンと沖縄との関係をめぐって、米軍占領をめぐって、島惑いにつぐ島惑いの流刑地の地獄めぐりを経てきた琉球的思考は「ニッポン復帰五十年」の現在、切り開かれた展望を手にして花歌をうそぶくことができる。

沖縄は復帰してもしなくても天皇制を無化しないかぎり地獄に決まっているという起源論の檄とは別に、欲望によってあらゆる場所が主役でありうるという私たちの覚醒の花歌はこんなものだ。

曰く。日米安保条約の解消。辺野古新基地建設の即時停止、米軍基地の沖縄および日本からの撤退。国防の問題を解決するために、憲法を選びなおして、交戦権と自衛隊を国際連合に委ねる。国際連合は再生するために、五大国のもつ拒否権を廃止する。拒否権を無くせないなら、拒否権廃止に賛同する現加盟国に脱退を呼び掛けて、沖縄に本部を置く新国際連合を設立する。

この花歌は金泰泳と連帯することが出来るだろうか。連帯とは使い古された言葉だからそこに新しいヴィジョンがこめられなければ力をもつことはできない。反国家、反権力、反資本主義、反近代の思考が無効になった現在、私たちがたちもどって拠点にすべきは、マルクスとヘーゲルの背後、すなわち近代哲学者たちが設計した近代社会の原理の構想である。財と富の蓄積が始まった農耕社会以来人間の社会につきまとった万人の戦争（ホッブズ）、万人の万人に対する戦いを抑止するための社会契約と一般意志の政治原理（ルソー）、人民国家（国民主権）として成立した国家は人民の一般意志を代表しなければ権力の正当性をもたない。近代は万人の自由、自由の相互承認（ヘーゲル、竹田青嗣）を法によって保障する、自由に覚醒した人間が歴史上はじめて打ち立てた市民社会である。第二次世界大戦だけで八千万人の死者を出し金持ちと貧乏人の格差を増大するだけの資本主義は国家や権力、近代とおなじく諸悪の根源とみなされてきたが、しかしその特質は、絶えず社会の生産力を増大させていく経済システムである。富と財の持続的な拡大再生産が市民社会の自由を支える基盤である。

川満信一『琉球共和社会憲法草案』

連帯というキーワードで、川満信一の『琉球共和社会憲法草案』に熱烈な共感と支持を寄せた中国の学者・孫歌の言葉が思い出される。

「この作品の誕生は東アジア思想史上における一つの事件であった。それはつまり、川満『憲法』の意義がテキストそのものに留まらず、同時代におけるいくつかの重要な構造的特徴を凝縮し、私たちが東アジア現代史に足を踏み入れるさいのよき案内役となるということである。沖縄の特殊な現状および歴史的軌跡が、ユートピア的想像に満ちたこのテキストに強大なリアリズム的精神を凝縮させると同時に、濃厚な歴史的内容をこの作品に与えているのである」（孫歌「リアリズムのユートピア――川満信一『琉球共和社会憲法C私（試）案』を読む」）

中国語から翻訳されたこの文は日本語とのあいだになにか挟まって屈折している感触があって意味がとらえにくい。もう少し引用してみる。

「沖縄のひとりの思想家が三十数年前より徹底した『人類の時代』を呼びかけたのである。川満『憲法』の意義はまさにここにある」「沖縄思想界の先人たちは沖縄という範疇を越えた重要な思想財産を残しているが、では我々はいったいどう継承すればよいのだろうか。川満『憲法』から我々が学べることには次のようなものがある。真の自立とは強大な外在要素の力を借りることなく、優越感を排除した平等な心理状態だけに根ざし、真の抵抗とは悪をもって悪に抗するのでなく、自己の平和という価値を堅持することにある。これは絶対平和主義における博愛理念ではなく、沖縄民衆が百年にわたり積み上げてきた闘争と知恵である。また川満『憲法』は、人類や戦争と暴力に対処するうえで一風変わった自立に関する構想を教えている。それは弱々しくみえるが、永久不変的なものである。まさにこうした真の自立精神こそが人類精神の性質を練り上げ、思想上における成長と成熟をもたらすのである。」（同論考）

ここまできて、孫歌が川満『憲法』のどういうところに感銘を受けているのか、少しばかり、なるほどという気がしてくる。川満『憲法』が中国語や韓国語に翻訳されて世界や社会に対する共通認識が深まり連帯と信頼の情がアジアの民衆の間に広がっていくことは喜ばしいことである。しかし、嫌韓、嫌中、反日感情にヘイトスピーチを考えると、ことはそう簡単とは思えない。理想理念の憲法構想や形而上学的道徳理念はつねに複数存在するために絶えず価値の相対化にさらされる。私たちの「ニッポン復帰五十年」以後の新しい展望は、中国、韓国、日本、沖縄のそれぞれの市民社会の自由の連帯であるとおもえる。

孫歌の論考のなかに二か所「一九五二年の米国軍政府信託統治編入」、「一九五二年の米国信託統治」という誤認が見られる。

サンフランシスコ講和条約第三条にはこう書かれている。「日本国は、北緯二十九度以南の南西諸島（琉球諸島及び大東諸島を含む）、孀婦《そうふ》岩の南の南方諸島（小笠原群島、西之島及び火山列島を含む）並びに沖の鳥島及び南鳥島を合衆国を唯一の施政権者とする信託統治制度の下におくこととする国際連合に対する合衆国のいかなる提案にも同意する。このような提案が行われ且つ可決されるまで、合衆国は、領水を含むこれらの諸島の領域及び住民に対して、行政、立法及び司法上の権力の全部及び一部を行使する権利を有するものとする。」

この条文こそはまさしく詐欺師の手口、沖縄を自由使用するためにダレスが仕掛けたトリックにほかならなかった。署名した吉田茂首席全権はそのことを知っていたかどうかわからないが、あきらかに笑いながら講和条約にサインをしているのである。

このペテンに才知にあふれた中国の日本思想史研究家の孫歌も気づくことは

できなかった。真藤順丈「宝島」にも三か所、沖縄が信託統治だったと書かれていた。どこが詐欺師の手口かというと、信託統治の提案が行われ且つ可決されるまで、合衆国は沖縄の行政、立法及び司法上の権力の全部及び一部を行使する権利を有する、というところだ。アメリカは一九七二年の「施政権返還」まで一度も信託統治の提案をしなかった。

講和条約の調印から七十年たっても日本はアメリカの詐欺から抜け出せないままである。平和憲法のもとに帰るどころか、日本国憲法のうえに日米合同委員会がのっかって、裁判権密約、基地密約、指揮権密約を米軍ににぎられているありさまである。私たちの唯一の展望はこれらの現状を理解したということだけだ。そこでその展望から私にできることは、さしあたって、中国市民の自由、韓国市民の自由、日本市民の自由、沖縄市民の自由、ホンコン市民の自由、台湾市民の自由、などに連帯の意志を表示し、一般意志を動かすために自分のできることをするだけである。

（二〇二二年六月、書き下ろし）

第二章

文化のゆくえ

8 琉球文化の独自性

作家 大城立裕

一九二五〜二〇二〇。一九六七年『カクテル・パーティー』で芥川賞。

文化のゆくえ

連載のテーマを「文化」にすることは藤原書店の要請であるが、今日、政治にせよ経済にせよ、深みでは文化に関わると解されるので、妥当なことかと思う。

私は一九四六年十一月に沖縄にひきあげてきたが、船のなかで考えたのは、これからは、おおっぴらに方言を喋ることができる、ということであった。これまで国家意思とそれに迎合した県や教師の方針に強制的に合わせられたことからの解放感があった。その裏には、琉球文化にたいする潜在的な愛着があった。

異民族とのつきあいの難しさより、「日本」から解放される喜びのほうが、強かった。しかし、まもなく発行された新聞に、次の琉歌が載った。

「島や小々《ぐまぐま》とぅ道や大々《まぎまぎ》とぅ　道ぬ真ん中に藷苗《かんだ》植ぃらな」（山内盛彬《やまうちせいひん》）

作者は琉球古典音楽の大家で、伝統文化が異民族の政治や文化に支配されることを憂えたのである。

しかし、アメリカ文化からは、風俗的な影響をこえるものはなく、やがて祖国復帰運動が燃えあがるにつれて、近代史を通じて蓄積されてきた日本への同化志向のほうが、優勢になってきた。それでも、伝統文化への執着は断ち切ることができず、占領時代後期から復帰後にかけて、同化志向と独自文化への愛着との確執を避けることはできなかった。その事情の最たるものは言葉であり、そのあとに生活風俗や行政の追随、選択がつづく。

私は、琉球大学で非常勤講師を二度つとめた。最初は一九五七年から三年間、「日本近代文学」を、二度目には一九八二年の一年間、「沖縄文化史序説」をである。前者では、方言のジョークに学生がよく笑った。しかし後者では、講義の内容を裏切るように笑いが出なかった。本土出身の学生が多かったのと、地元出身者でも、方言の心得が薄れたからである。

とはいえ一九八〇年代には、喜納昌吉《きなしょうきち》らの土着志向の芸能が流行ったりして、伝統同化志向を脱ける体があった。一九九二年に首里城復元があったりして、伝統回帰の動きもあった。

こうして沖縄の文化は、日本への同化と異化とのせめぎあいの連続である。
（二〇一七年四月）

御嶽《うたき》　城《ぐしく》　按司《あじ》　神女《のろ》　巫女《ゆた》

琉球では村落社会が生まれたあと、神が森に宿ると信じられ、そこが村落の住民の尊崇を集めていた。それが御嶽《うたき》であり、そこを祭祀の場所として神との交流の役目を担ったのが、沖縄島でいえば神女《のろ》で、宮古、八重山では司《つかさ》という。

地域の社会で男性支配者があらわれ、これが按司《あじ》と呼ばれたが、按司は精神的な後ろ盾として神女をいただき、戦争にも神女を通じて神の加護を常に祈った。

按司はやがて御嶽を守るように囲壁（城壁）を造った。今日でもなお、城のなかには御嶽がある。城のことをグシクと呼ぶ。私見だが、語源は御敷＝お屋敷ではないか。グシクが沖縄本島で約三百、うち五件が二〇〇〇年に世界遺産に登録された。

十五世紀に、尚真王は琉球国を統一したが、中央集権の一助として、全国の神女をピラミッド型に組織した。その最高位の神女を聞得大君《ちふぃじん》と称し、王妃か王の姉妹を任命することにした。

神女はこうして、政治にかかわる立場におかれ、その形式を明治政府でも引き継いで、聞得大君はなくなったが、神女に村落の祭祀を司る権能を付与した。これが、敗戦で日本を離れるまでつづいた。

神女のほかに、ある種の女性が神がかりになって、人の精神的、肉体的な悩みを祈りで癒す役目を負った。これが巫女《ゆた》である。巫女は、みずから悩みごとをかかえて苦しむあまりに、神にたより巫女になることが多い。物事を神の立場で割り切るので、往々にして現実社会の秩序を無視することがあり、これが常識社会では忌み嫌われることになる。十七世紀の宰相・羽地《はねじ》朝秀《ちょうしゅう》は史上はじめて、巫女の弾圧をした。その後とくに近代社会では、しばしば巫女を文明の敵とみなす排斥運動が起きた。

私は少年時代に、将来には巫女はいなくなるだろう、と思っていたが、それは裏切られた。文明の進歩につれて、人の悩みも増えるからであろう。

巫女はときに迷信で御嶽を破壊する。巫女の御嶽破壊は、古代の神の文化への無意識の嫉妬からであろうかと、私は素人想像をする。御嶽は文化行政が古式の神聖な場所として保護する場所であるので、これとの戦いを生じることにもなる。

（二〇一七年五月）

首里城

一四二九年に沖縄本島で南北を統一した中山《ちゅうざん》王府は、はじめ浦添にあったが、のち首里に移り、結構をととのえて首里城となり、これでいかにも王国らしい貫録を備えた。

私は北京をはじめて訪ねたとき、紫禁城を見上げて「首里城正殿はこれを真似たな」と直感した。その後に、建築の専門家にこの直感が正しかったと教わった。規模は象と蟻ほども違うが、そのデザインが、得も言われぬイメージを共有するのである。正殿の正面両側に竜柱を立てたのも、中国文化にこころのみを模して、形状に個性を創っている。城外の守礼門は、西方、中国を向いている。このような美学からして私は、首里城公園を英語で現行の Shurijo Castle Park とするより、Shurijo Palace Park とするほうが、しっくりすると考える。

その美学は城壁にも見られる。日本の城壁のように武弁的でない。石積みの設計でいえば半円形の波型の連結だ。それが城壁全体の垂直に近い造型に関係しているかどうか分からないが、構造は狭い土地に城を建てるのに適していると思われる。屏風のように角を立てて折れているのではなく、面も角もすべてが曲線になっていて、曲がり角の頂点さえ、角をもたずに曲線の美を呈している。

首里城も戦争の歴史を持ってはいるが、以下に述べるように後世に非武の社会を生みだす予感のような美があった、と私は理解している。

士族は、近世期には武器より三線《さんしん》をたしなみ、たとえば床の間に刀でなく三線を飾ったものである。その原型の美学が、首里城の造型に見られると思う。言ってみれば、曲線のモラルである。

古琉球のグシクがウタキを擁していたように、首里城にもウタキがいくつかある。それらを王朝で支えて拝んでいたのは、組織化された神女《のろ》たちで、その頂点に聞得大君《ちふぃじん》がいたが、これは王妃もしくは国王の姉か妹が任ぜられた。そして全国の神女を行政的に統括していた。それは武威より神威を上位においたことを象徴していたと、見ることができる。

こうして見ると、首里城は武威を統括していたというより、統一的な神威の象徴として見るのが、分かりやすい。

（二〇一七年六月）

墓と共同体

「亀甲墓《かめのこうばか》」という短編を単行本に入れたとき、本土《やまとんちゅ》出身の編集者が「この作品だけは分かりません」と言った。が、その後に何年か経ってから、いくつかのアンソロジーに入れられるようになった。ある研究者が、神話的な意味があると絶賛した。

墓の原型は洞穴であろう。それは日本の古墳と同じものであろうと思われる。時代がくだって、近世期に士族が中国・福建から亀甲墓のかたちを導入して、表面の入り口のみをそれで飾るようになった。しかし、内部は風葬も火葬も、骨を厨子甕におさめて安置してある。

私はマレーシアで華僑の亀甲墓を見たことがあるが、あれは土葬の原型に亀甲の形をかぶせたものであった。しかも、一世代一基というしきたりだと聞いた。

琉球の墓は、家系を単位にして建てられる。ただ、地方によっては門中墓というものがある。ヤマトの墓がいつから現在のような石柱型の記名式になっただろうか。古式は古墳のような洞窟であったはずだ。沖縄の墓のほうが日本式の原型に近いと思われる。

墓は弔いのためにあるが、祖先を祀る儀式として中国渡来の清明祭《しーみー》がある。春、清明の季節に家族がそろって墓を拝み、墓前の庭で食事をともにする。先祖と食事をともにする体だ。門中墓では門中の家族全員がそろうので壮観である。

門中は姓氏をおなじくする一族の共同体である。この同姓の制度は、十七世紀に、宰相の羽地朝秀《はねじちょうしゅう》（唐名は向象賢）によって、士族と百姓と身分を分けて鮮明にするために造られたもので、名前の頭文字を同一にするのが、慣例である。朝秀のように朝の字がつくのは「向氏」といって、国王の同族である。

近年、都市計画などとの関りで、墓の規模も縮小される傾向で、墓の団地も生まれ、清明祭の規模にも変化があろう。原型と規模との関係に興味がある。

この墓制は共同体と関係がある。共同体はまた、墓と関わりなく村落単位で生まれることがあり、その応用で模合《もあい》（頼母子《たのもし》）という助け合いを生むことがある。さらに、冠婚葬祭に、参加者の負担を軽くして規模を大きくする慣例がある。

（二〇一七年七月）

三線音楽と民謡

十六世紀に尚真王《しょうしんおう》が内乱を防ぐために琉球全国から武器を集中管理して以来、武家のたしなみは空手と三線《さんしん》音楽に移っていった。士族の家の床の間には刀でなく三線が飾られた。三線はしかしひろく民衆にも普及した。近代になって、農村では小学校で洋楽の唱歌を教えたが、卒業すると三線に興ずるのが普通であった。郷土音楽も弾くが、三線をギター代わりにして日本語の流行歌を弾いたりした。

三線はもと中国の三絃《サンシェン》が十六世紀のころに輸入されたもので、のちにヤマトへ渡って、三味線になった。琉球では、十六世紀のころに古典文学の不定形歌謡であったオモロが定型化して琉歌になる過程に、三線の普及が関わったと思われる。

十七世紀に湛水《たんすい》親方という貴族が、初の名人となり、その後に屋嘉比朝奇《やかびちょうき》が出て、工工四《くんくんしー》とよばれる楽譜をつくった。その後に安冨祖《あふそ》正元、野村安趙が出て、今日の琉球音楽の流派をなした。

安冨祖流には楽譜がないという特質があり、それはつまりナマの演奏の祖述が正確さを求めるということになる。安冨祖正元に「歌道要法」というごく短い著作があるが、演奏の心がけのみを説いたものである。安冨祖の弟子の野村安趙が、師の奏法を易しくする目的でアレンジしたのが野村流と今日呼ばれるが、その差は素人には解しにくい。歌詞は古典琉歌である。民謡にも古典と新民謡がある。

古典民謡がたしかに普及しているのは奄美地方であろう。宮古、八重山では独特の古典民謡があり、現地では普及している。

近代に宮良長包《みやらちょうほう》という音楽家が、詩人たちの歌詞を得て、独自の旋律を創ったが、これは琉球音楽の応用だと言われる。さらに戦後、普久原恒勇《ふくはらつねお》が土着の旋律を応用した作曲をしており、「芭蕉布」が全国に知られている。

新民謡――沖縄の歌謡曲がおびただしいというほどの数（一説には毎日一曲ともいう）の作詞作曲を得ているのは、民謡酒場で味わうことができる。民謡の名人といわれる人たちの自在な歌い方は、眼をみはらせるものがある。民謡、新民謡の名人に嘉手苅林昌《かでかるりんしょう》、登川誠仁《のぼりかわせいじん》らがいる。女流にも多くいる。

（二〇一七年八月）

舞踊・組踊・沖縄芝居

古代には神事の歌謡オモロなどとともにおこなう集団舞踊があったが、古代歌謡が三線音楽にのせる琉歌に変容したことから、舞踊にも琉歌にのせて個人舞踊への変容があったと思われる。

同時に演劇で組踊が生み出され、個人舞踊を今日古典舞踊と呼んでいる。その作品のひとつ伊野波《ぬふぁ》節は、作者名が伝えられていないが、組踊の創始者の玉城《ぐすく》朝薫《ちょうくん》の作ではないかと、私は疑っている。足を優雅に踏み出す振り「はいやまーたー」があり、彼の処女作である組踊「執心鐘入《しゅうしんかねいり》」の宿の女の振りに似ているからである。

古典舞踊は作品ごとに古典琉歌と対《つい》になって伝えられているが、その著名な七曲を「七踊り」と称し、難曲とされている。観賞者もおよそ十分に限られていたとみられる。

組踊は十八世紀に玉城朝薫《たまぐすくちょうくん》が創始したが、朝薫はもと王府の高官で、江戸へ出張した機会に能に巡りあい、それに似せて五番を創始したとされる。彼のあと七十余編の創作があり、今日およそ二十編が残っているが、多くは武士の敵討ちもので、現代に通じる普遍性に欠ける。

朝薫の五番に見られる女性観は封建時代の女性観を突き抜けており、王府の高官であった玉城朝薫が身分の立場をこえて真実をつらぬく意欲にあふれている。これに追随する作品として、平敷屋朝敏《ひしちゃちょうびん》の「手水の縁」がある。

明治以降に新たな踊りが生み出された。観賞者が庶民に下りてきて、生活風俗も新しくなったので、新たな踊りが多く創られた。これを「雑踊《ぞうおどり》」と呼ぶ。有名な作品の一つに「花風《はなふう》」があり、辻町遊郭の遊女の恋をうたい、踊ったものであり、他方、農村の風俗を踊ったものに「むんじゅる」（麦藁の意味）がある。「浜千鳥」は旅愁を歌にのせて踊るが、四人で踊るのが普通で、群舞の走りである。「加那よ」は男女二人のかけあいで恋を踊ったものであるが、女は遊女である。

雑踊とおなじ経緯で、演劇にもヤマトの芝居などの影響をうけて、宮廷芸能でないものが生まれた。沖縄芝居である。沖縄芝居には、セリフ劇と歌劇があり、それぞれに悲劇も喜劇もある。また、現代劇と時代劇との区別がある。

（二〇一七年九月）

宮古　八重山の文化

宮古や八重山諸島にはミャーカ墓とよばれる墓がある。亀甲墓などの生まれる前の、掘り下げて蓋をかぶせた形であり、島全体の文化が古式を残していることの象徴であろう。

歴史を読むと、いかにも神話的な超能力をもった人物が登場するなど、それが十六世紀の尚真王の全国統一前後のこととしてあらわれる。歴史の進展が遅れたことの証かと思われるが、それが文化の古式を温存している所以でもあろうか。

おなじく古式を温存しているとはいえ、宮古と八重山の文化の形はかなり異なる。

宮古では、三線の普及がかなり晩かったが、それは歌唱の水準が高かったからだとも言われ、たしかに宮古民謡の歌唱は力づよい。それに、踊りも古典的個人芸でなく、集団の歌と囃子につれて踊る形式で、祭の集団舞踊の迫力はすごい。

一方で八重山のそれには、個人舞踊が多い。かつ、そのスタイルは沖縄本島のそれに似せている。ただ、それを乗せる音楽はまったく地元の独自のスタイルであり、その作品もきわめて多い。

八重山にトゥバラーマと呼ばれる唱歌がある。万葉時代の歌垣に類するもので、毎年の秋にそのコンテストがあるが、歌詞はすべて方言による創作である。八重山では、家庭のしつけも古式の沖縄の士族のそれに準じて、きびしい。ある人に言わせると、沖縄芝居の伴奏音楽の六割は八重山民謡だという。沖縄と八重山との近縁性と関係があろうか。

言ってみれば、宮古の気質は漁業を主とした海洋的な肌合いのものであり、八重山のそれは、農業のほか首里士族の流れを汲むものであると言えようか。沖縄文化にくわしい鎌倉芳太郎先生が、宮古をスパルタに擬し、八重山をアテネに擬した。けだし適評かと思われる。

言葉が、沖縄本島のわれわれにとっては、宮古、八重山のいずれも聞き取りがたいが、比較的に八重山が沖縄本島に近いといえる。なぜ、地理的に近い宮古の方言より八重山の方言が首里方言に近いか、言語学者でも説明が難しいという。

与那国は石垣島の西方にあり、その方言は石垣の人にも聞きとれないという。

（二〇一七年一〇月）

工芸

陶器、紅型《びんがた》――琉球王国を美しく象徴するような工芸文化である。陶器の源流は朝鮮から渡ってきた陶工である。紅型をふくむ染織は、東南アジアや中国との交流の影響から生まれたが、地元の亜熱帯植物繊維などの高度な手工芸で生み出されたもので、地元で生まれた織物に、紬、絣、上布、ミンサー、花織《はなおり》がある。

これらは、渡来文化をふくめて古琉球から近世にかけて地元の庶民の手によって技術を高められ、やがて献上品として珍重され、親交のあった中国皇帝、あるいは江戸幕府への献上品としても珍重された。その生産は王府におかれた貝摺《かいずり》奉行所の指導、管理で進められたことが、進歩発展の契機であったといってよい。琉球の工芸は庶民の手仕事を王府の高い理想で指導したおかげで、進歩発展した。

琉球音楽の伝統をになう三線は、東南アジアからの蛇の皮による胴と地元の黒檀による棹との結合によるものである。

那覇市に壺屋という陶芸の村が生まれたのは十七世紀で、琉球王府の庇護で栄えたが、戦後に都市の膨張で登り窯の煙をきらわれて、読谷村《よみたん》へ移り、その他の村落にもさまざまな窯が生まれた。

紙の生産が導入されたのは十七世紀の末で、十八世紀にはいってまもなく地元の芭蕉《ばしょう》の繊維で紙を漉《す》く技術が生まれた。芭蕉のほか、島に自生する植物繊維で漉《す》く青雁皮紙《がんぴし》や楮紙《こうぞがみ》など、いろいろとあり、これらの開発には、人間国宝の安部《あべ》榮四郎その他の本土からの指導者と芭蕉布の名人・平良《たいら》敏子の協力、指導があずかっている。芭蕉紙に紅型を染めるあらたな工夫、技術も生まれた。さらに諸地方の花織もある。

ガラス工芸は、敗戦の惨禍から生まれた皮肉な名品である。一切が無に帰した戦後の生活のなかで、米軍から得たコカコーラのガラス瓶に電線を巻き付けてこすって熱し、いきなり水に漬けて割り、コップを作った。この技術、工夫を原点として花器、フルーツ皿から照明器具など、ガラス工芸というあらたな工芸文化が生まれた。

沖縄の工芸は古来、政治の困難のなかで庶民が生活の美を創造した証である。

（二〇一七年一一月）

空手

俗説かどうか、空手《からて》の発祥は十五世紀に尚真王が琉球全国を統一したとき、内乱を防ぐために、全国から武器を廃止したのち、自衛のために開発されたともいう。

が、今日専門家はそれを言わない。空手を自衛の武器としてより、肉体と精神の訓練のためと考えるからだろう。

中国から拳法が導入されて開発されたという説は、その名称を古くは唐手《とうでぃー》と言い、武器にサイ、ヌンチャクという意味難解なものがあることでも知られよう。

もと、武器のかわりに戦う肉体の技術であったには違いないが、あるいはそのためにこそ時代が下るにつれて、基本には精神を養い礼儀を鍛え、倫理の基本にのっとることを鍛えられるようになった。

近代以降、空手という表記が発明されたことにも表れているし、また方言ではたんに「手《てぃー》」と呼ぶ慣例もあることからも知られる。「一撃必殺」とは言うが、究極には「空手に先手なし」（船越義珍《ふなこしぎちん》）、「人に打たれず、人を打たず、すべて事なきを基とする」（宮城長順《みやぎちょうじゅん》）などという先人の言葉もあり、「和の武道」などと言われる。

琉球で発祥した空手が、今日、国境をこえて世界的な武道として普及、発展してきた。いま、一八〇カ国以上、ほぼ六千万人もの空手愛好家がいると言われる。

沖縄県では、空手を「道」として世界によりひろく深く、正しく普及せしめるために、会館の建設を企て、豊見城《とみぐすく》城址公園跡地を立地に、二〇一二年に着工して五年、総事業費約六五億円をかけて建設した。「沖縄空手会館」としている。約四ヘクタールの敷地に、四面の競技コートや鍛錬室、研修室などを有する道場施設、伝統空手、古武道に関する理解を深めるための展示のほか、古来の伝統的な赤瓦屋根を持った特別道場もある。

沖縄空手会館には、究極の平和、正義の象徴としての空手発祥の地である沖縄の誇りがきざまれていると言ってよい。

日常的な情報の収集、発信のほか、競技、学習の場をも提供し、究極には空手を通じて、沖縄の誇りを発信し、世界平和の源の一つとなることを目指している。全国規模の名所になり得よう。

（二〇一七年一二月）

琉球語

ある言語学者によれば、琉球語は方言というには遠すぎ、外国語というには近すぎるという。文法はまったく日本語で、中国語の流入は名詞のみ数十個に限られる。ただ、語彙一般に日本古語とつかず離れずで、県外の人にはちょっと聞きとりづらい。

一八七九年に日本政府が琉球王国を併合し、まず手をつけたのは、普通語（日本語、標準語）の普及で、会話伝習所というものを作った。「今日はよい天気です」＝「ちゅーや、いいてぃんちだやびる」といった調子の教科書をつくって、『沖縄対話』と題した。国家統一のためにぜひ必要だとしたわけである。その後、一九四五年の戦争にいたるまで、その離れ具合は数々の悲劇を生み、差別のタネにもなった。

『沖縄対話』での日本語の基本文体は丁寧語だが、その対訳としての琉球語は、琉球社会のなかでの敬語である。琉球社会の会話には敬語と非敬語しかなく、丁寧語がなかった。じつは日本語でも近世期までは同じ事情があったが、明治になって地方差をなくして標準語を創る過程で、この丁寧語を創って、標準語化を加速させた。

琉球では、これだけの面積のなかに、諸地方の方言のバラエティーが著しい。が、その標準語化が一気に日本語で間に合ってしまった。丁寧語も日本語で間に合った。今日、琉球語の復活・普及の声があるが、地方語の多さと丁寧語がないことの壁が厚い。

日本語の普及で意思の一般的な疎通は間に合ったが、風土的な個性に由来する方言のなかには、日本語にしにくいものが少なからずあり、日本語をあつかう詩人や小説家は、明治から今日にいたるまでこれに苦慮した。

方言の世界が文学に適さないと思い込んでいる時代もあった。「山といふ山もあらなく川もなきこの琉球に歌ふ悲しさ」（長浜芦琴、一九一〇年）

ただ、方言が独自の文学的価値を生む例がいくつかあり、一九七三年に復帰記念特別国体の表題とした「若夏」という語は、八重山地方で古語の温存されたものだが、これが『広辞苑』第五版に載って、日本語の語彙をふやすことに貢献した。

（二〇一八年一月）

中国文化の影響

沖縄の陶芸や染織は、柳宗悦、河井寛次郎、濱田庄司らに絶賛されるほどの魅力を作りあげたが、これには中国文化の影響があるようだ。紅型《びんがた》の豊かな色彩が魅力的だが、源がインドネシアあたりかと思われる説と中国の印花布《いんかふ》に由来するのではないか、とする説がある。陶芸にも中国の影響があるようだ。これらの制作はもと王府の経営に拠《よ》ったということが、その解釈を裏付ける。

影響を受けた生活様式の最たるものは、墓であろう。墓の原型は洞窟墓であるから、これはもと日本のそれと同じであろうが、日本のそれが時代をへて滅びたのに、琉球では温存した。その上で表に亀の甲のデザインを施したのは、中国の影響だと思われる。マレーシアで華僑の墓を見たとき、これが同じデザインだと思ったが、あれは原型が土葬であるから、基本的には別物であろう。亀甲墓《かめのこうばか》の起源が近世期の士族の家柄のものであったということが、それを裏付けよう。

最も面白いのは、屋敷の表門の目隠しである。石垣と竹垣との差はあれ、ともにヒンプンと称しているのは、中国のピンフォンの影響かと思われる。ピンフォンとは「屏風」と表記し、玄関の目隠しである。私は中国で屏風《ピンフォン》を見つけて、その名称を教わり、嬉しかった。鹿児島の田舎で、大きな岩を屋敷の目隠しにしているのを見つけ、これを地元ではどう呼ぶかと尋ねたら、「屏風《びょうぶ》岩」

という答えが返ってきた。琉球からの影響ではないか、と思うと頷けた。

生活風俗のなかでは、とくに祭祀儀式に道教の影響があると言われている。紙銭はその一つである。柔らかく厚い紙に、昔の硬貨のかたちを彫った型を押す。戦前はごく普通にあったもので、タテ十にヨコ五でしめて五十の銭形を何枚も押し、お墓の前でそれを焼く。押すのは子供の役目であった。

拝む時は、跪礼《きれい》というか仏壇へむかって起ったり座ったりして、礼拝する。私の父は、戦前によくそれをやっていた。仏壇に祀られたのは土着の先祖であるが、矛盾も意識されなかった。台湾の廟で民衆が紙銭を燃やし、跪礼をするのをみて、親和を覚えたものである。


（二〇一八年二月）

国立劇場おきなわと県立芸大

国立劇場が能楽堂、文楽劇場を含めて、三つもあるのに、独自の芸能をもつ沖縄に国立劇場がないのはおかしいと、私たちが十年間運動して、席数六五〇の劇場を創立したのは、二〇〇四年であった。

組踊の保存継承というのが当初の目的であったが、ジャンルを広げる意味で、国立劇場おきなわと命名した。古典組踊のみでなく、新作の組踊も上演されるようになった。民間劇場では冒険をされにくかったものである。近代に生まれた歌劇をふくめた沖縄芝居や現代劇も、採算を度外視して上演されている。採算はしかし取れるに越したことはなく、さいわい実績は上がりつつある。

県立芸大は、一九八六年に創立された。西銘順治《にしめじゅんじ》知事が七八年に当選すると、すぐに抱負をのべて起ち上げた。祖国復帰後六年目に、日本の一員として誇りをもって生きてゆくために、独自の文化を発展させることを、考えたのであろう。

美術工芸学部を先行させて、十年目に音楽学部を起ち上げた。西銘知事としては、郷土芸能を考えていたのであろうが、これを大学設置基準のなかで位置づけるのに、二十年もかかった。

美術工芸学部の業績で目立つのは染織と陶芸で、音楽学部のお手柄は、郷土芸能の知的な役者を多く育てたことである。

国立劇場おきなわで、組踊にせよ沖縄芝居にせよ、舞踊にせよ、県立芸大の卒業生と劇場付属の研修所の修了者が、演技者として新風を吹き込んでいる。私は新作組踊を書いているが、はじめ在来の役者たちも意欲を持っていたのに、仕上がってみると、あたらしい台詞を憶えるのが大変だと敬遠した。

若いインテリ役者が、私にも有難いものになっている。彼らはどんな創作をもこなせるのである。方言に馴染みのうすい世代であるにもかかわらず、よく方言台詞をこなしていて、県立芸大の芸能コースに期待したことが、実を結んだと言える。

いま、県立芸大と国立劇場おきなわとの連係プレーにも似た催しが、創作芸能をも刺激しつつある。
新しい沖縄文化を占《うらな》う二つのモニュメントである。
（二〇一八年三月）

9 琉球の心

近現代沖縄文学研究者 仲程昌徳

一九四三年生。『沖縄文学の魅力』(ボーダーインク)他。

沖縄のちむぐくる(心)

『がじまる会 創立五〇周年記念誌 1970-2020』が送られてきた。

ひめゆり平和祈念資料館附属ひめゆり平和研究所が、「沖縄戦・ひめゆり学徒隊の歴史を海外に伝える展示プロジェクト」を企画し、その最初の地をハワイに決め、調査を開始したのは二〇一九年。その理由は、ひめゆり学徒隊引率教師でひめゆりの塔の壕で亡くなった唯一の女性が、ハワイ二世であったこと、戦後、ひめゆりの塔の敷地の購入金を寄付し、整備にあたったのがやはりハワイ二世であったこと、さらに「ひめゆり学徒隊」の一員として戦場に出た方や同時期ひめゆり学園で学んだ方が住んでおられるといった深いつながりがあったことによる。さっそく同窓生たちを訪ね、聞き取りをはじめたところ、やはり、彼女たちを取材している方がいて、ご一緒した。彼女の取材は、がじまる会の五〇周年記念誌を作成するためであるという。そのことをすっかり忘れていたところへ、記念誌が届いたのである。

「がじまる会」というのは、沖縄からハワイへ移民した人々の子孫をはじめ、戦後結婚してハワイに住んでいる人々が中心になっている会である。一九八〇年には『がじまるの集い　沖縄系ハワイ移民先達の話集』（崎原貢）が編まれていて、崎原はそこで「ガジマル会は勿論血縁同族団体ではない。ハワイ在住の沖縄県人有志がつくったいわば文化的同族集団である」と書いていた。

五〇周年記念誌は、Ⅵ章からなる。どの章を開いても「文化的同族集団」であることを印象付けるものとなっていて、沖縄以上に沖縄的であるように見えてくる。ハワイに、沖縄がある、といってもいいほどである。がじまる会現会長が、先の会長から受け継ぎ大切にしているのが「沖縄のちむぐくる」だと述べているように、会は、沖縄を心から愛している方々によって運営されていることがわかる。

ハワイ展は、コロナで延期になったが、取材を通して、沖縄がここにあった、との感を深くしていた。それが、さきほど送られて来た五〇年誌をめくっていて、改めて確認できた次第である。

（二〇二一年一〇月）

夏島の沖縄人

目の前が見えないほどのスコールのなか、かつてトラック支庁のあった夏島についた。メリックさんが、ずぶぬれになって立っていた。夏島に行く事は、知らせてあったが、宿泊地の春島から何時に出るか、その日のボートしだいというこどもあり、まさか迎えにきているとは予想してなかった。メリックさんも、私たちの着く時間が分かっていたわけではなく、何度も足を運んでいたということだった。

夏島を訪れて何度目になっていたのだろう。一九九〇年代の初頭から、南洋群島における沖縄人たちの足跡を追う作業をしていて、夏島を訪れるたびに、メリックさんの世話になっていたのである。

日本の委任統治下にあった南洋群島に、沖縄人はなだれこんでいった。各島で、それぞれに異なる仕事に精を出していったのであるが、夏島に渡った者のなかに、周囲の者たちの嘲笑をものともせず、湿地の開拓に明け暮れた人がいた。湿地はやがて農地に変わり、一大生産地となり、後、その人を顕彰する碑が建った。

メリックさんは、小さい頃から、沖縄人の経営する料理店の走り使いをし、沖縄人のことをよく知っていた。そこで、沖縄人の住んでいた場所や職場、農耕地跡などを鮮明に記憶していた。干拓地跡もその一つであった。

スコールが止んで、強い陽の降り注ぐ中、メリックさんは、顕彰碑のあった所に案内して、説明してくれた。大変な豪雨で、山が崩れ、顕彰碑も押し流され埋まってしまい、そのままになっていると。

その時の気持ちを伝えるのは容易ではない。残念だと思う気持の反面ほっとした。残念だと思ったのは、これでまた沖縄人の痕跡の一つが消えてしまった、ということによるが、ほっとしたというのは簡単に説明する事ができない。それは日本帝国の「南進」という問題と関わるものであった。

顕彰碑が埋もれたことで、南洋群島を統治下に置いていたという事実が消えるわけではないが、少なくとも、現地の人たちに与えていたにちがいない違和感は消えるのではないか、と南洋移民の子の一人として思ったのである。

（二〇二一年一一月）

消息不明・行方不明

父には四名の姉妹がいた。そのうち二人はフィリピン、一人は南洋群島、一人はハワイと関係があった。沖縄は移民県であった。どの家庭も大差なく海外との関係があったといえるし、父の兄弟姉妹が特別であったわけでもないが、ここではフィリピンと関わった二人の叔母についてとりあげていくことにする。

叔母の一人は、沖縄人のたくさんいたダバオで暮らしていた。フィリピンの戦争も、沖縄同様激しい地上戦で、多くの犠牲者を出しているが、彼女は生き残り、収容所に息子を連れて入ったという。しかし、そこで病に倒れ、引揚間近になって、息子を知人に託し、亡くなってしまう。息子は元気で横浜まで来たということはわかっているが、その後の消息は不明になっている。祖父に預けられて沖縄で暮らしていた叔母の長男は、戦後、新聞、ラジオ等あらゆる手段を講じて、弟の行方を探したが、見つけることができず、亡くなってしまった。

あと一人の叔母である。彼女は、沖縄に来たフィリピン人と結婚し、息子が生まれ、幸せに暮らしていた。しかし戦後、沖縄からの強制送還が始まったことで、夫は、帰国していったまま、二度と戻ってこなかった。叔母と息子二人の生活が始まり、息子は、中学まで出たが、フィリピン人との「合いの子」だということで絶望し、いつの間にか、母の前から姿を消してしまった。叔母は、息子に看取られることもなく一人で亡くなった。

父は、近親から二人の消息不明者を出していたのである。その二人は、多少違うかたちであるとはいえ、「引揚げ」と関わっていた。そしてその「引揚げ」は、いずれも「戦争」が絡んでいた。

移民しなければ、そして「引揚げ」がなければ、兄弟姉妹の息子たちは消息不明・行方不明になることもなかったのではないか、という思いは、やはり「引揚者」の一人であった父にはあった。

消息不明・行方不明といった者たちの記憶だけを残し、その母たちも、兄弟たちも亡くなってしまった。無念の思いは当然だとして、それだけで終りにしていいものだろうかと思わざるを得ない。

（二〇二一年一二月）

10

琉球文学と琉球語

名桜大学大学院教授
／琉球文学
波照間永吉
一九五〇年生。『琉球文学大系1 おもろさうし上』(校注、ゆまに書房)他。

沖縄〝復帰〟の日に

折しも今日(五月十五日)は四八回目の沖縄「復帰」の日である。一九七二年、琉球大学の学生であった私は、高揚感とは全然別な場所にいた。あの日が大雨であったことはうすうす覚えていたが、その日自分が何をしていたかはほとんど忘れてしまっていた。必要があって当時の日記などを開いてみたら、那覇の与儀公園であった〝復帰に抗議する集会〟に出ていた。でもなぜそのことを忘れていたのだろうか。忘れたいことであったのだろうか。

沖縄の「復帰」は当時の沖縄人の主体的選択である、というところから思考を展開する人がある。なるほど、そうではあろう。しかし……、とその「復帰」を自明のこととしきれない私がいる。果たして、私たちは日本人か。沖縄の人間の多くが、日本人である前に我々は沖縄人である、と思っているのではなかろうか。その思いは、海外のウチナーンチュの三世や四世の方々と話をしていると、より強く感じる。それは何故だろうか。近代沖縄社会が日本人によって様々な差別を蒙ってきたことは歴史的事実である。そしてその沖縄差別は移民世界でも同じであった。今の若い人たちには分からないことではあるだろうが、私たちの年代までの沖縄人にはそのような認識や感覚があるのではなかろうか。これをみんな覆い隠して、「日本人」にはなりきれない、ということである。

その意味で元県知事西銘《にしめ》順治が、沖縄の心はと問われて「日本人になりたくてなりきれない心」と言った言葉は、私たちにも分かる。しかし、今や私たちは「日本人になりたい」と思わなければならないのだろうか。薩摩入り、琉球処分、天皇制、沖縄戦、日本国憲法、日本式民主主義などなど、琉球・沖縄の過去から現在まで、私たちに深く関わってきた日本人の思考や枠組みを一度、突き放して考えるべきである。沖縄自立を説く人々も「我が国は」とか「この国は」という言葉を使ったりするが、その国とはどこか。まずは「我が国」とか「この国」という意識を措いて、少なくとも琉球・沖縄という視点から「日本は」という言葉でみるようにしていきたいと思っている。（二〇二〇年六月）

「琉球文学大系」の構想

伊波普猷は琉球文学を「日本文学の傍系としての琉球文学」（昭和二年）と位

置づけた。伊波の生きた時代と研究史的状況をみると、そのように言わざるを得なかったか、と思われもする。「琉球文学」と言いながら「日本文学の傍系」と位置づけなければならなかったところに、伊波の苦衷があったのだろう。

しかし、文学が言語の芸術であれば、琉球語によって作り出された文学を固有の文学として捉えることに問題はないはずである。ましてや、数百年も独立した国家であり、そこで生きた人々が自らの言語と、文学意識によって作り出したこれらの作品群をあえて「日本文学の傍系」とする必要はない筈だ。

たしかに、記紀・万葉、古今・新古今、そして源氏や西鶴・近松・芭蕉という滔々たる歴史、綺羅星のように輝く膨大な数の作品群を持っていないことは事実である。この点について嘆く必要はない。肝腎なことは、琉球・沖縄の歴史の中で、この地域に生きた人々が琉球語で、何を、どのように表現してきたかである。

こう考えて、広大な海域に散らばる奄美・沖縄・宮古・八重山の人々が伝えてきた祈りや呪《まじな》いの言葉、神を迎え敬虔な思いで祈る祭祀の世界の祝詞や神の歌＝神謡・神歌、労働の場でのあけすけな笑いの歌、そして恋の歌。これらを集成したのが外間守善《ほかましゅぜん》総編集の『南島歌謡大成』（全五巻）である。それだけではない。首里・那覇の上流人士が詠んだ琉歌・和歌・漢詩、和文学・漢文学の作品もまた数多い。これらの総体が琉球文学である。日本古典文学の世界にはみられない独自の価値がある。「日本文学の傍系」である必要はないのである。

私の勤める名桜大学では「琉球文学大系」（全三五巻）の編集・刊行に着手した。一二年に及ぶ事業である。琉球文学の代表的作品を集め、語注を加え、必要なものには現代語訳もつけて、琉球・沖縄人の琉球語による文学、言語表現の全体が鳥瞰できるようにしたいと思っている。日本文学のみならず、世界文学に新たな頁が付け加わるのである。

（二〇二〇年七月）

琉球語の復権を目指して

奄美・沖縄・宮古・八重山・与那国の島々で話されてきた言葉を琉球語(琉球諸語)と呼ぶ。これまでは琉球方言と称されてきた。「方言」という呼称には、ある国の一部の地方の言葉、というひびきがある。琉球語とその文化の価値の矮小化にもつながりかねない。琉球語研究の嚆矢とされるバジルホール・チェンバレンは「琉球語」と呼んだ。伊波普猷も「琉球語」を使用した。これが「方言」となったのは何時からか。そこには、近代日本の中における琉球・沖縄文化の位置づけの問題が伏在しているに違いない。

二〇〇九年、ユネスコは琉球語を「消滅の危機に瀕した言語」とした。たしかに琉球語の現状をみれば、この先十年、二十年もすれば琉球語を十分に使いこなせる人はいなくなるにちがいない。そのような状況をみれば、「消滅の危機」

が目の前に来ていることは明らかだ。これをどうにかして次の世代に受け渡したい。

故翁長雄志前県知事は日本政府に対して「ウチナーンチュ　ウシェーテー　ナイビランドー」（沖縄人をみくびってはいけませんよ）と言った。この言葉は多くの県民を勇気づける言葉として、翁長氏亡き後も繰り返し使われている。日本語による表現よりも、この琉球語による表現が我々の胸を打ったのだ。このように、〝母なる言葉《マザーラングエッジ》〟の力は大きい。正に琴線にふれる言葉がシマクトゥバ（故郷の言葉）なのだ。これを失うことは、心のありよう、精神の最も奥深いところにある感情の表現を、よそ行きの言葉でなさなければならないことになる。辛いことだ。

ハワイではハワイ語の復権を着々と果たしている。ハワイ・沖縄、ともに被抑圧の歴史を歩み、そして自らの言語を失いかけた。琉球語の復権でハワイから学ぶことは多い。筆者も沖縄県しまくとぅば普及センターで琉球語の復活に携わっているが、前途は厳しい。チムデュラサン（肝美しい）、チムガナサン（肝愛しい）、チムグリシャン（肝苦しい）など、チム（肝）を含んだ言葉は「心」のそれよりも多い。〝沖縄はチムの文化〟だと言われる。そのチムの文化も琉球語が支えている。どうにかして復活させなければならない。

（二〇二〇年八月）

11 琉球の絶対平和とジュゴン

ミュージシャン　海勢頭　豊
一九四三年生。映画「GAMA─月桃の花」製作。『真振』（藤原書店）他。

月桃の花とジュゴン

「月桃」歌碑建立

沖縄が日本に復帰して五〇年である。コロナ禍で自粛する中、私の住む西原町坂田ハイツの住民が声を上げ、平和を願う「月桃」歌碑建立事業を立ち上げた。一月七日に実行委員会結成。委員長に前沖縄県議会議長の新里米吉氏、作者の私は相談役となった。それに呼応して、西原町と町議会でも「月桃」歌碑建立を復帰五〇年記念事業と位置づけ、町上げての取組みとなった。建立場所も西原町運動公園の夕日の広場に決定。

しかしコロナ禍は収まらず、加えてロシアのウクライナ侵攻で世界情勢は急変。アベ、プーチンの異床同夢に加え、「火星」を打ち上げるキム・ジョンウンも、自民党に利するごとくに騒ぐ。

南西諸島は既に自衛隊が占拠しミサイル基地化された。一体何の為の復帰だったのか。プーチンが「戦争やめろ」の声に聴く耳持たないのと同様、アベは台湾有事を口実に九条改憲を叫ぶ。おそらく、北朝鮮は参院選前の何処かで日米軍事同盟の拠点琉球に威嚇射撃するつもりか。それがアベの望むところかもしれない。しかし、何故そのような時代になったのか。その原因は、人類が神の掟とすべき「十戒」を宗教とせず、宗教を形骸化させてきたことにある。

月桃

作詞・作曲　海勢頭豊

1. 月桃ゆれて　花咲けば
夏のたよりは南風
緑はもえる　うりずんの　ふる
さとの夏

2. 月桃白い　花のかんざし
村のはずれの石垣に
手にとる人も今はいない　ふる
さとの夏

3. 摩文仁の丘の　祈りの歌に
夏の真昼は青い空
誓いの言葉　今もあらたな　ふ
るさとの夏

4. 海はまぶしい　喜屋武の岬に
寄せくる波は　変わらねど
変わる果てない　浮世の情　ふ
るさとの夏

5. 6月23日　待たず
月桃の花　散りました
長い長い煙たなびく　ふるさと
の夏

6. 香れよ香れ　月桃の花
永遠に咲く身の花ごころ
変わらぬ命　変わらぬ心　ふる
さとの夏

本当は、信教に自由などないのだ。

その危機的状況で、予定通り協力金が集まるのか心配されたが、意外や「月桃」歌碑建立に対する反響は大きく、日々県内外から協力金が寄せられるようになった。私は素直に嬉しく、みんなに感謝した。勿論、これは私の碑ではない。みんなが平和を願って歌う為の「月桃」の碑である。お陰で幅四・五メートル、重量二六トンもの巨大石も見つかり、六月二二日には除幕式を行う。

戦争をしない勇気

思えば「月桃」が生まれたのは復帰一〇年目の一九八二年六月の初旬だった。二三日の慰霊の日が近づいてもまだ戦争を語る人はいなかった。激戦地糸満の一家全滅の屋敷跡を訪ね歩き、ふと主のいない屋敷に咲く月桃を目にしたとき、即、浮かんだ歌、それが「月桃」だった。子ども達が歌える明るい旋律と歌詞だった。沖縄戦を学ぶ歌として慰霊の日の情景を月桃に託し、子ども達に戦争をしない勇気を持って生きてほしいとの思いだった。

月桃は、南西諸島の山野に自生する生姜科の多年草。四月から六月に開花し、光沢のある白い蕾を房状にたれる。俗に言う山生姜だが、沖縄ではサンニンと呼ばれる。おそらく漢字で書けば「山仁」だと思う。

ジュゴン平和思想

古代中国の甲骨文字で、大、犬、三、山、卩、巴、土などは、龍宮神信仰に関わる字であった。龍宮神とはジュゴンのことである。そのジュゴンの呼称サン、ザン、ジャン、ジュワン、ヨハン、ヨハネなどが聖なる名として西欧にまで広がった、その痕跡が今も地名人名として残っている。それは南西諸島の奴人たちが大陸に進出し、人々にジュゴンから学んだ絶対平和思想を伝えてそうなったようである。

ところが驚いたことに、その奴人の痕跡を伝えるナやニヤのつく国名が、チャイナ、シナを始め、ウクライナ、パレスチナ、バルセロナ、カタルーニャ、ルーマニア、ボスニヤ、ヘルツェゴビナ、エストニアやクリミヤなどとあるのであった。勿論、奴人の故郷は沖縄本島を中心にしたかつての琉球王国の島々である。当然、琉球文化は龍宮神ジュゴンの「サン」文化だったことになる。空手にサンチン、サントゥー、クーサンクー、サンセーリューなどサンのつく型名が多いのも、琉球古典音楽にサン山節やジャンナ節があるのも、楽器がサンシンであることも、神女がススキの葉でサンを作って邪気を清めるのも、全てが龍宮神ジュゴンの加護を祈って生まれた文化だったことになる。勿論、サンニンもそうだ。そのサンニンの和名が月桃だ。

それは月の神でもあった古代倭国の女王ヒミコと桃との関係を暗示して見えて面白い。ついでだが、宮崎の鵜戸の洞窟で誕生した神武の幼名「佐野」は「サン」だったということ。それ故、辺野古のジュゴンを抹殺せねばならない政府の意図が丸見えの復帰五〇年だったことになる。

（二〇二二年五月）

ジュゴンと三線

今、政府と沖縄県民との間で、辺野古新基地建設をめぐる対立が、深刻化している。政府には、引くに引けない事情があることは承知するが、しかし、この問題、沖縄が正義を主張し続ける限り、引かざるを得ないだろう。既に、世の中は変わっている。一五〇年前の明治国家の考え方で、ウチナーンチュや本土の良民を抑えつけ、憲法を変えて軍事力信仰を甦らせようとしたところで、時代錯誤も甚しい。しかし、なんで、このような変な政府を選んでしまっているのか？　そのことを理解する前に、沖縄・琉球の精神文化について、これから一二回に分け、触れてみたい。

先ず、先月の三月四日は、語呂合せで「三線の日」とされ、沖縄中の老人から子供まで、三線の弾ける者が各地に集い歌い、誇らしく祝った日であった。

何を祝ったかというと、ただ単に、三線が弾けて、ウチナーンチュである幸せを、祝ったということである。

考えてみると、たった一曲でも二曲でもいい、年がら年中同じ歌を歌い、祝いの座でも、辺野古ゲート前でも、全く変化しない心の文化を大切にし、ウチナーンチュは歌い続けているのであった。

琉球にとって三線は神器である。龍宮神ジュゴンを守護神にした琉球の精神文化の象徴であり、各家庭の床の間には普通に飾られる宝であった。龍宮神は平和の神・航海安全の神・五穀豊饒の神として、今でも崇拝され、これから夏にかけて島々で行なわれる海神祭の主祭神が龍宮神ジュゴンであった。その龍宮神を讃え、島の平和と人々への加護を願って歌われるのが、三線音楽である。三線音楽を作った始祖が、赤犬子《あかいんこ》と呼ばれた吟遊詩人であった。彼は、のちに首里王府の役職につくが、それまで活躍していた本島中部読谷村《よみたんそん》が出身地とされていた。

ところが、先日、津堅島《つけんじま》の友人達との交流で、赤犬子《あかいんこ》の生まれたところが、実は、海神祭のある、太平洋に浮かぶ津堅島《つけんじま》だということがわかった。それが、「三線の日」の前日で、改めて赤犬子に感謝した。その三線の胴に印された三つ巴紋が、龍宮神ジュゴンの象徴であることを、忘れてはならないということであった。

（二〇一八年四月）

龍宮とは、ジュゴンである

毎年陰暦三月三日は、南西諸島の女性たちが身を清める「浜降りの日」であった。所謂、女の節句だが、同時に、その日は龍宮神に祈願する日でもあった。今年は、四月一八日にあたり、故郷の平安座島《へんざ》でも、龍宮祭があった。その日、海で亡くなった人のいる家では、朝からご馳走を準備し、それを海岸に持っていって龍宮神にお供えし、身内の魂の加護を祈るのであった。だがしかし、子

ジュゴン

龍宮神での拝み（浜比嘉島）

供の頃の私は、この龍宮祭がなんなのか、全く、理解できずにいた。しかも、海勢頭家は、代々龍宮神を祀る神役の家であるにもかかわらず、誰も教えてくれなかった。現在、私はその神役を担い、節日や島の行事の度に神屋での祈願を務め、また、島の西グスクや東グスクの御嶽《うたき》と呼ばれる聖域を廻って、島人の安全祈願、豊穣祈願を行っているのだが、そもそも、龍宮神がなんであるのか?、誰に訊いても分からなかった。

御嶽や神屋には、三個の石を三角に置いた「火ヌ神」がある。それらの石が、「天の神」・「地の神」・「龍宮の神」の三点セットだと分かったのも、最近と言えば、最近である。ましてや龍宮神が何たるか、が分かったのも、ごく最近のことだ。とは言え、もう二〇年にはなるが……。ところがある日、それが、島人の言葉で分かった。三月三日の龍宮祭のことを、島では「ドゥーグンマチー」と言う。それが、「ジュゴン祭り」の意味だと気がついた。即ち、DUGONGを、ウチナーグチで「ドゥーグン」と発音するが、そのドゥーグンに対する漢字の当て字が「龍宮」または、「竜宮」であった。
「天の神」・「地の神」に次いで、何故、「龍宮神」が祈りの対象になっているのかは、おいおい説明するとして、この「龍宮神」が、琉球王国時代から今日に至る最も大切な精神文化の支柱「守護神」であることだけは、間違いない。即ち、ジュゴンが「平和の神・航海安全の神・五穀豊穣の神」として、これから夏にかけて、南西諸島の島々で行われる「海神祭」の主祭神であるということである。そして、三月四日の平安座島最大の祭り「サングヮチャー」を、一度ご覧頂きたいと思う。何故なら、ジュゴンは、日本の守護神でもあるからだ。

（二〇一八年五月）

神武東征と龍宮神

陰暦五月四日は、私の故郷平安座島でも海神祭が行われる。今年は、六月一七日の日曜日に当たるので、例年にない人出が予想される。祭り会場の漁港では、朝からハーリー鐘が打ち鳴らされ、爬竜《はりゅう》船競争の準備に入る。その日は、沖縄の離島各地でも海神祭が行われるが、平安座島は本島と四キロの海中道路で繋がっているため、毎年近隣からの参加者や観光客で賑わいを見せる。この海神祭の海神というのは、当然龍宮神ジュゴンのことである。龍宮神に漁民の安全と、五穀豊穣を祈願し、御願《うがん》バーリーを厳かに奉納してから、爬竜船競争を行う。ハーリーというのは爬竜のことで、海人の街糸満では、ハーレーという。

実は、和歌山県新宮市の熊野速玉《はやたま》大社秋の例大祭の一環として、熊野川下流にある鵜殿《うどの》村の御船祭が行われるが、その中にハレハレ踊りがあって、神船の競争を声援する賑わいが見られる。その鵜殿村のハレハレと糸満のハーレーとは、古代倭国の世直しにルーツがあって面白い。熊野川といえば神武東征神話に出てくる川だが、神武東征が古事記に書かれた嘘ではないことを今に伝えているのが、鵜殿村の御船祭ということになる。御船祭の本船に日の丸を掲げ、船べりには龍宮神信仰の象徴である三つ巴紋の旗が無数にはためくが、それは、かつての琉球船が、世直しの伝統として受け継いだものと同じである。その源流である鵜殿村の人々が、これまた伝統として、三世紀のヒミコによる神武東征を伝えているのであった。その証拠に、赤い派手な衣装で女装した男がヒミコの代役を務め、舳先に立って、それいけ、それいけとばかりに先導するのである。

龍宮神信仰の象徴三つ巴紋は熊野川を遡って奈良に入り、桜井市の三輪山を御神体にして、倭国が建国された。だがしかし、ヒミコ亡き後は大和族に政権を奪われ、熊野川を遡った三つ巴の象徴も八咫烏《やたがらす》にすり替えられ、今ではすっかり、日の丸も三つ巴紋の意味も分からなくなってしまった。だが、沖縄においてもそれは同じ。爬竜船の爬の字が、「巴」を乗せていることを忘れているのが現状で、琉球の精神文化の形骸化を心配するばかりである。

琉球の左三ツ巴紋

三輪明神（奈良、大神神社）の三つの輪

ヤヘー神と龍宮神

（二〇一八年六月）

六月二三日は、沖縄戦で亡くなった人たちを追悼する慰霊の日であった。今年も糸満市摩文仁《まぶに》の平和祈念公園では、沖縄全戦没者追悼式が行われた。園内にある平和の礎《いしじ》には、国籍を問わず二四万余の戦没者の名が刻まれている。その平和の礎と沖縄県平和祈念資料館は、昨年六月一二日に他界された大田昌秀さんが、県知事時代に完成させた平和行政の実績であった。

そして、もう一つ忘れてならないのが、永遠に灯り続けることを願った平和の火である。この平和の火は、広島と長崎、そして、一九四五年三月二六日、米軍が最初に上陸した阿嘉島で、島の神女によって採火された火と合わせたものであった。風光明媚な慶良間諸島座間味村の阿嘉島だが、久高《くだか》島や伊平屋《いへや》島と同じく、神の島と呼ばれてきた。戦時中も、神女たちの力が強かったようで、皇軍の意向に背き、忠魂碑の建立を拒んだという。そのお陰か、座間味島や渡嘉敷島で起きた集団強制死は発生しなかったが、朝鮮人軍夫七名が日本兵に虐殺されるという、別の悲劇が起きていた。また、七名の朝鮮人慰安婦がいたことも調査で分かった。

そこで、ここ一〇年間、毎年阿嘉島に渡り、韓国の友人たちと一緒に「アリラン平和音楽祭」や「合同慰霊祭」を行ってきた。一度は、金時鐘《キムシジョン》先生と藤原良雄さんもご一緒したことを思い出す。今では、観光客で賑わう阿嘉島だが、この島が何故神の島と呼ばれるのか、驚くべきことが分かってきた。島のノロや神女によって執り行なわれる六月ウマチーや海御願《うみうがん》、そして、ノロ殿内《どんち》での島願いの祭りが、龍宮神への感謝と、平和・安全・豊穣の願いであることは言うまでもないが、何より、かつてこの島では、「ヤヘー神*」が真実の神と信じられ、祭が演出されていたことである。

ところが、戦前、学校教育が普及し、知識人が島の指導者として現れたことで、迷信追放と生活改善運動が急速に高まり、それが渡嘉敷島から座間味島に波及し、とうとう神は消滅してしまう。しかし、阿嘉島にだけは、その後も神は来訪し、しばらく祭が行なわれたという。

＊古代から沖縄以南の諸島の人々が信仰していた宇宙創造の神（ヒャー神）の名から来ている。

（二〇一八年七月）

小惑星「りゅうぐう」

六月二十七日、二〇一四年に打ち上げた宇宙航空研究開発機構（JAXA）の探査機「はやぶさ2」が、約三億キロ先の小惑星「りゅうぐう」の目標位置に到着したとのニュースがあった。

小惑星の多くは火星と木星の間に帯状に集まっている。成分によってS型、C型などに分類される。初代「はやぶさ」が探査した「イトカワ」は岩石質のS型で、今回の「りゅうぐう」は生命に欠かせない水や炭素を含んだC型であるという。

小惑星は始原天体ともいわれ、四六億年前に太陽系が生まれた頃の様子を留めているとのこと。そこで、生命の起源を解明するための物質を「りゅうぐう」から持ち帰ることが、「はやぶさ2」のミッションであるという。日本の科学技術力に驚嘆するばかりだが、しかし、何より、その小惑星が「りゅうぐう」と名づけられたことに驚いた。前述したように、龍宮とは、沖縄語の「ドゥーグン」、即ち、ジュゴンに対する漢字の当て字だからである。

しかし、小惑星「りゅうぐう＝ジュゴン」から水と炭素を地球に持ち帰り、生命の起源に迫ったにしても、水や炭素が如何なる理由で生命現象に利用されるようになったかまでは、多分、分からないと思う。この宇宙に神の意志とも言える力がなければ、生命体は存在しないからである。やはりここは、古代南西諸島人の神認識・宇宙認識について考えた方がいいのではないか。

私は、平安座《へんざ》島の神人《かみんちゅ》を務め、そのことを考えてきた。島の御嶽《うたき》西《いり》グスクにも三個の石を置いた「火ヌ神」がある。その三個の石は、「天の神・地の神・龍宮神」を表わしたものである。そして、分かったことは、天の神を「ヒャー神」と呼び、「ヒャー神」の意志が具現化した地の神の恵みや災いを「アラ神」と呼び、その「アラ神」のもたらす噴火、大地震、大津波、大雨などの災いから、人々を救うために遣わされたのが、龍宮神ジュゴンであると、かつての南西諸島人は考えていたということである。

前回紹介した阿嘉島のヤヘー神はヒャー神の転訛だが、ヒャー神の意志によって、我々人間が存在しているとの考えである。

（二〇一八年八月）

ヒャーとヤハウェと龍宮神

ウチナーンチュの祖先は、はるか古代より、平和に生きるための宗教を持っていたようである。それは、龍宮神を祭る島の行事でも分かるが、親を敬い、命を大切にし、偶像を崇拝しないことなど、およそモーゼの十戒同様の教えが、ウチナーンチュのアイデンティティーの根底を成していることからも分かる。例えば、美化文化圏の大和と違って、御嶽《うたき》などの聖地に偶像を置くことは、まずない。

私は長い間、ウチナーンチュの宗教心が、十戒の影響を受けたものとばかり思ってきた。ところが最近、それが逆だと分かって驚いた。古代中国の黄河流域に甲骨文字が誕生したのは、今から五千年前。すでにその頃、龍宮神信仰を持って大陸で活躍していた祖先たちがいたのである。

そのことを、龍宮神信仰に関する甲骨文字の「大、犬、邑、巴、山、土」などから知ることとなった。つまり、ウチナーンチュの祖先たちが、ユダヤ民族に宗教的影響を与えていたということである。

例えば、龍宮神信仰がユダヤ人社会で慣習化していたことを示す証として、旧約聖書「出エジプト記」の「幕屋の屋根をジュゴンの皮で覆うこと」との五度にわたる記述をあげることができる。また、南西諸島の「ヒャー神」についても、その「ヒャー」が「ヤヘー」になり、それが、ユダヤ民族によって「ヤハウェ」になったことが考えられるということである。

しかも「ヒャー」を表わす地名に、伊平屋＝イヒャー、平安座＝ヒャーンザ、平安名＝ヒャーンナ、比屋根＝ヒャーグン、比屋定＝ヒャージョウなどがあり、また、「ヤヘー」を表わす地名に、八重山＝ヤヘーマ、八重瀬＝ヤヘージ、上江洲＝エージなどがある。

そして、ウチナーンチュが信仰心の厚い人を「ヒャー」と敬い、人を励ます時は「シタイヒャー」と声援し、逆に出来が悪い者には「ヤナヒャー」としかり飛ばす。

すなわち、それらの地名や言葉遣いからすると、古来、南西諸島人の宇宙認識には、ヒャー神＝天の神の存在があり、「人はヒャー神の子」であると理解していたことが考えられるのである。

（二〇一八年九月）

辺野古大浦湾は龍宮の海

南西諸島に誕生した琉球王国は、諸外国からグレートリュウチュウ、すなわち、大琉球と称された平和国家であった。龍宮神ジュゴンを国の守護神にして平和外交を行い、中国、朝鮮、日本、東南アジア諸国を結ぶ要となって、大交易時代を築き、繁栄した大琉球王国。しかし、小さな島嶼国にすぎない、およそ無防備な国が、何ゆえ五百年にわたって戦争をしないで平和を維持できたのか、答えは、大琉球の「大」の字にあった。

本来、「大」は「ダイ」ではなく、ウチナーでは「ウフ」「ウプ」と読み、ヤマトでは「オフ」「オオ」と読んだ字だ。

この「大」の字には、どういう意味があるのか。それは、水面から頭を出している人であり、すなわち、ジュゴンを表わしている。また、龍宮神信仰を表わした字でもある。

もし、その考えが当っているとするなら、南西諸島に溢れる「大」の謎が、一挙に解けることになる。例えば、大琉球はウフリュウチュウで、ジュゴンに護られた国を表わし、大交易はウフアチネー＝大商いと言って、ジュゴンに加護された交易を表わしている。また、大人のことをウフッチュと呼び、ジュゴンのように平和で大人しい、信仰の厚い人をさす。

では、今の日本に大人はいるか、というと、沖縄にはいるが、本土には殆ど大人はいないことになる。ジュゴンの藻場とサンゴを守ろうと、辺野古新基地建設に反対する沖縄県民が多いということは、それだけ、沖縄には大人がいるということである。しかし、かつては日本でもジュゴンを守護神としていた時代があった。その歴史を忘れ、辺野古大浦湾を埋め立てようとする政府の行為は、もはや、大人ではない。

大浦湾はウフラ湾と呼ばれる龍宮の海。二〇一五年までそこにいた若いジュゴンが、今行方不明で姿が見えない。巨大軍事基地が造られようとしている辺野古地先には、ウフマタ遺跡があり、そこは宗教上の聖地だった。また、辺野古漁港の突堤の先には龍宮神の祠があって、鳥居が立つ。大災害が起こらぬよう祈るしかない。

この夏、日本列島に次々襲来した台風の姿が、ジュゴンに見えた。とても偶然とは思えないのである。

（二〇一八年一〇月）

龍宮神信仰から生まれた琉球文化

前回、「大」の字がジュゴンを表すことを紹介した。そして、実際に甲骨文字の「大」を見ると、ジュゴンの正面形をそっくり模した字であることが分かった。あえて言うならば、両肩から両腕を斜め横に下ろした、琉球舞踊や空手や能や大相撲の横綱の立ち方にも似て見える。琉球舞踊だけでなく、能までが、龍宮神ジュゴンの動きを真似て生まれた芸能のように思えるが、どうだろうか。

琉球舞踊は、三線と歌に合わせて踊られる。その三線の胴には、ジュゴンを象徴化した三つ巴紋が記されている。また、三線を弾くための爪そのものが、ジュゴンを模したマガタマの形に作られている。つまり、琉球古典芸能である歌三線と踊りは、龍宮神ジュゴンを信仰することによって生まれたものだと言える。

古来、沖縄ではジュゴンを「サン」または「ザン」と呼んできたが、中国黄河流域に誕生した甲骨文字の、「三」という数字が聖数とされていたことからすると、どうやら、ジュゴンは文字の生まれる以前から、「サン」と呼ばれたようで、その「サン」にあやかって、数字の「三」が聖数とされたようである。

すなわち、言葉の音声が先にあって、後で文字が当てられたということ。従って、「山」の字も「サン」「ザン」を表し、琉球王国時代の中山、北山、南山の三山の意味は、言わばジュゴン信仰の拠点を表していたことになる。また、古代においては、読谷は読谷山《ゆんたんざん》、平安座島は平安山《へんざん》と呼ばれていたようであった。「サン」の響きが聖数「三」を生み、また、「山」の字も生まれたことになる。当然、三線のサンも、すすきを三本束ねて邪気払のサンを作るのも、また、陰暦三月三日を聖なる日として龍宮祭を行うのも、全てはジュゴン信仰からきたものということになる。

他に、「サン」「ザン」信仰からきたことの例として、琉球古典音楽には「サン山節」や「ザンナ節」がある。また、沖縄の空手は、ジュゴンのように無防備で専守防衛の技であり、「サンチン」や「サンセーリュー」や「セーサン」「クーサンクー」などの形名があることである。

（二〇一八年一二月）

平安座の海の「シチ」の話

子供の頃、故郷の平安座《へんざ》島には、「島の海には、シチがいる」という不思議な話があった。それは、「海岸や干潟にいる人が、突然、海に向かって歩きだし、深みにはまって溺れることがあるが、それはシチのしわざである。もし、そのような人を見たら、大声で呼び止め、ひっぱたいて目を覚ましてあげなさい。もし、シチに出会ったときは、お前はシチだ、おれはハチだ、と言いなさい。そうすれば助かる」という意味不明の話であった。

それが、大人から、まことしやかに語り伝えられていたのであるが、そのシチが魔界のものなのか何なのか、結局、正体は分からずじまいであった。学校が終わると子供たちは干潟で遊び、歩いて本島に渡る人もいた。遊びほうけたり、あるいは、干潟を渡る方向を間違え深みにはまったりして、時には溺れて死ぬ人がいた。そのための警告だったのか、シチの話は常に、親から子供に伝えられていたことを思い出す。

ところが、甲骨文字の「卩」を見て、これはジュゴンを表す最もシンプルな象形文字であることが分かり、驚いた。

本土では、「卩」はセツであり、節句や季節などの元の字である。しかし、南西諸島では、「卩」は、「シチ」あるいは「ヒチ」や「スツ」と言い、豊年祭などを表す言葉であった。例えば、西表島《いりおもて》祖納《そない》の節祭を「シチ」と呼び、また、多良間《たらま》島の「スツウプナカ」の「スツ」がそうである。

即ち、甲骨文字の「卩」が、平和の神、航海安全の神、五穀豊穣の神であるジュゴンを表すとともに、そのジュゴンの加護を祈る日を、特別に「シチ日」

として、神行事や豊年祭を行っているのが、南西諸島の「シチ祭」の伝統ということになる。

この「卩」によって、平安座島のノロたちが語っていた「シチマーイ」が、「卩詣り」の意味であること、また、島の西端の岩陰に古くからある風葬跡「シチニンチョウデー」が、「卩人兄弟」の意味であることが分かった。

また、この「卩」が「巴」の字に進化したとされ、このような象形文字・表意文字を考え出したのは、南西諸島人しかいないことになり、驚くばかりである。


（二〇一九年一月）

御嶽と犬とグスク

南西諸島の御嶽《ウタキ》やグスクで行われている祭祀は、神司《カンツカサ》や神女《ヌル》と呼ばれる女性たち中心に行われ、男は補佐役を務める程度である。御嶽やグスクで龍宮神ジュゴンを祀り、戦争を否定するのが沖縄の信仰だが、それは、男性中心の本土神道とは真逆の立場にあるということである。

しかし、何故そうなったか?を考えた場合、答えは、「男は、ソーキ骨が足りない」という、女たちの言葉と、古代倭国の女王卑弥呼との約束に行き着く。つまり、「男は、臆病で気が弱く、暴力にうったえて戦争してしまうから、信用できない」というのであった。

戦後、いち早く戦争の罪を反省し、天皇制国家の呪縛から自らを解放したのが沖縄の女性たち。しかし、本土ではそうならなかった。戦前の反省どころか、相変わらず男中心の政治と祭りの国だった。「憲法改正こそは自由民主党結党以来の悲願」とする安倍晋三首相を中心に、神社仏閣は日本の美しい文化とばかりに宣伝。テレビなどでパワースポットブームを煽り、神武天皇の即位日二月十一日を「建国記念の日」と祝い、今や天皇の代がわりを、国民挙げて祝うと言う。

そしてついに、沖縄県の反対を無視して土砂投入を強行。「国民の為に辺野古新基地建設を進めます」と、菅官房長官が公言。つまり、沖縄県民は「国民ではない」ことを明言したのである。

昨年は戌年であり犬年であった。「犬《イン》」は、「ジュゴン信仰の人」を表わした字で、それを甲骨文字で確かめることができた。即ち、「犬」とは、御嶽に詣で祈る神女《ヌル》や神人《カミンチュ》、そして、ジュゴンを平和の神と祀るウチナーンチュを指す言葉であった。しかも、御嶽の「嶽」の字は、「犬」が「山」、即ちサン＝ジュゴンを仰ぎ言葉を発している様子を表していた。

南西諸島には、その御嶽が無数に存在するが、御嶽を石垣で囲うようになったのは、卑弥呼亡き後、大和朝廷によるジュゴン信仰の迫害から逃れた人々が移り住むようになってからのこと。それをグスクと呼ぶのは、ジュゴンが家や集落を護る宿神《スクガミ》であることから、即ち「護宿《グスク》」と呼んだことに由来する。

今年は亥年、猪突猛進に注意！

（二〇一九年二月）

マブイと絶対平和の掟

沖縄には「マブイ」という言葉がある。通常、「マブイ」は「魂」のことと理解されている。人間が健康で真っ当に生きる為に必要な「魂」、それが「マブイ」だという。しかし、本当に「マブイ」は「魂」と同意語なのか？　否であった。むしろ、勇しく国民を鼓舞し、神道の歴史観で洗脳し、ウチナーンチュを戦争に向かうよう強制したあの忌わしい「大和魂」は、「マブイ」という宗教的縛りを持たない「魂」。その為に国民の多くを死なせ、犠牲を強いたのではなかったか。

「マブイ」を漢字で書くと「真振り」。奄美では「マブリ」だが、首里王府を中心にする沖縄本島では「リ」が「イ」に転訛して「マブイ」である。真っ当に生きる為の「真の振舞い」を失っていたのが「大和魂」で、ウチナーンチュは、その「真振り」のない「魂」の犠牲となったことを沖縄戦で学んだ。忘れてならないのは、戦後のウチナーンチュが死んだ身内の〝真振り込め〟に奔走して、二度と戦争をしてはならないと誓い、仏壇の位牌に祈っていたことである。

その位牌には、死んだ先祖や身内の名が記され、中央に「帰真霊位」と記されている。つまり、仏壇と言っても仏教とは無縁の生死観であり、ウチナーンチュの宗教の本質を表わしている。

子供の頃、黙って考え込むことの多かった私は、周囲から元気がない子に見られ、よく学校から帰ると、夜にマブヤー込め《グミ》*の儀式をさせられた。身体から抜け落ちた「マブイ」を、私の身体に込めて元気を取り戻すという儀式である。仏壇の前に座らされ、ご馳走を盛った御膳が置かれ、その向こうにマブヤーグサ（道端に根を張って生えるイネ科の草）と鎌が置かれ準備が整うと、誰かが私の普段着を屋敷の外か便所に持って行って、そこで抜け出たマブイを捕まえ包み、「マブヤー　マブヤー　追うてぃ来うよう　魚ん米ん食ますんど～」と歌い諭してマブイを案内し、私の背中に普段着を被せるのであった。そこで立ち上がった私は、御膳の周りをマブヤーグサと鎌を踏みながら七回周り、そのあとでご馳走を食べた。

＊マブヤーとはマブイを擬人化した愛称。

（二〇一九年三月）

沖縄のいま……「神武」を忘れた首里城の真実

「建国記念日」の嘘

二月十一日の「建国記念の日」は例年通りの休日かと思いきや、沖縄は終日暴風雨に見舞われ「神」の怒りを見た。仕方ない、日本は戦後七六年「建国記念の日」の嘘一つ正さない「神の国」。復帰した沖縄も嘘に呪縛されたままで同罪。首里城も「神武」を忘れた神国支配の象徴である。即ち、沖縄の現状は宗教・信仰の形骸化甚しいばかりで「神」に怒られて当然であった。ジュゴンも姿を消し、伝説の大津波はいつ来てもおかしくない。そんな中、日本政府は辺野古新基地建設を強行し、何としても龍宮の海を潰して「神武」の秘密を隠すつもりでいる。しかし「神」はそれを許すはずがない。

十戒を守らぬ反宗教的戦争文明を正当化して民主主義を選挙ゲーム化したことへの怒り。民主主義の相対的罪を理解せず、守るべき教えの絶対性を無視してきたことへの「神」の怒りは、遂に核戦争で滅亡の危機に瀕する人間社会への救済措置、即ち、新型コロナのパンデミックとなって現れ、今、漸くにしてその災禍から愚かさを学んだ世界の良識は結束し、立ち上がり、地球環境の保全と新たな平和文明創造に向かおうとしている。

だが、日本はその動きに同調できず、しない。核兵器禁止条約不参加。東京五輪森前会長の女性差別。ＩＵＣＮ（国際自然保護連合）ジュゴン保護勧告の無視と、辺野古新基地建設。南西諸島自衛隊配備と、自衛隊米軍基地共同使用密約。日米地位協定も日米安保も変えられない外務省・防衛省。憲法九条改悪策謀。沖縄戦記述教科書改竄など。数え上げれば切りのない諸問題の全てが「建国記念日」の嘘に絡んでいる。

「琉球処分」の目的とジュゴン

皇統は男系と主張する男中心の神道自民党政治を見れば、対立する琉球神女《ノロ》の壊滅が明治国家の「琉球処分」の目的だったことがよく分かる。

龍宮神ジュゴンを崇拝する琉球の絶対平和主義は、軍国主義にとって都合が悪かった。しかも琉球ノロは、日子＝卑弥呼と共に象徴の三つ巴紋を掲げ、神武の力、即ち、宗教によって倭国大乱後の世直しを成して「大倭」を建国したうない神としての歴史を受け継いでいた。その宗教的象徴が、首里城正殿だったのである。それ故に琉球を軍隊で支配し嘘の皇国史観で洗脳し、その成功に乗じてアジア諸国を侵略し、三千万余の人々を死なしめ、その恨みによって今なお国益を損ねている。

何故か？　それは明治維新の大政奉還の際、天皇が国を治めるべきとする正統性を整える必要から、記紀の神武東征神話を根拠に神武を初代天皇とし、即位日を紀元前六六〇年二月十一日と決めた大嘘に始まったことであった。神武の秘密を知る琉球は日本に併合されて以後、忍従に苦しみ、今なお日米同盟による琉球支配に苦しみ続けている。だが、それは日米とも十戒に叛いたポツダム宣言違反。にもかかわらず沖縄の活動家は神武問題の存在すら知らない。

神武の幼名は狭野《さぬ》だったという。それはジュゴンが琉球でサンと呼ばれることに由来する。首里城正殿が西向きである理由も、龍宮神信仰の象徴として立てられたからであった。即ち、三つ巴紋の象徴と同じ意味の、もう一つの琉球王国の象徴図〈日輪と二羽の鳳凰〉の日子・日輪が、正殿後方の久高島から上り、その日輪を守る対のジュゴン・鳳凰の代わりに、対の龍柱が建てられた、ということである。その宗教的意味を理解せず、龍柱の向きばかりを議論する沖縄の今の現状は、宗教の形骸化そのものであり、そこに解決への道はないということである。

（二〇二一年三月）

12　島で生きる——人・自然・神

ライター　安里英子
一九四一年生。『揺れる聖域』（沖縄タイムス社、女性文化賞）他。

沖縄民衆を裏切る「返還協定」

「反復帰論」

今年は沖縄が日本に「復帰」して五〇年が経過した。そもそも「復帰」とは何だったのか。そのことが問われて今にいたった。

遡ること五三年前の一九六九年、日米両首脳の佐藤・ニクソン会談で「沖縄返還協定」にかかわる共同声明が発表された。だが、その内容は、沖縄民衆が希求してきた内容を裏切るもので、「復帰」幻想が消えたのはその時からだった。その内容とは安保条約の適用、基地の大部分をそのまま維持すること、対米請求権を放棄すること、アメリカ資産の引き継ぎ代償として日本は三億二〇〇〇万ドルを支払うこと、等々まさに米の占領意識丸出しの「協定」で、日本はそれにしたがった。それを受けて一九七一年、「沖縄返還協定」を採決すべく「特別国会」（第六七回臨時国会衆議院本会議）が行われた。ときの屋良朝苗行政主席は「復帰措置に関する建議書」をもって上京したが、本会議はそれに目を通すことなく、強行採決された。「建議書」は一三二ページにわたるもので、その主な内容は「基地のない平和の島としての復帰」「自衛隊の沖縄配備について反対する」等々で、軍事基地からの脱却を目指すものであった。

沖縄の民意を無視した「沖縄特別国会」による強行採決は、沖縄民衆の怒りをかった。それは、沖縄青年同盟（在日本の留学生や若者中心）三人による、「爆竹事件」に象徴される。七一年一〇月一九日、特別国会の傍聴席にいた三人は佐藤首相の所信表明演説の際、爆竹を打ち鳴らした。議場が混乱したのはいうまでもなく、三人はその場で逮捕される。今になって笑ってしまうのは、その後の裁判の公判では、彼らがそれぞれの出身地の宮古語、石垣語、沖縄（本島）語で答えたことである。裁判官が混乱したのはいうまでもない。

七〇年、七一年の『新沖縄文学』は「反復帰論」を特集した。その中で新川《あらかわ》明は次のように述べている。「戦後沖縄の『復帰』運動が多様な闘いの発展と成果を持ち、闘いの可能性を垣間見せながらも、ついに体制変革の決定的な炸薬を準備し胚出させることができなかったのみならず、むしろ『七二年返還合意』という形で新しい支配の再編成と強化を誘発し、逆に利用されていく結果をしか生み出さなかったのは、……」（七〇年一八号「「復帰」思想の葬送」）等々。

このように、「復帰」をまたず、「日本は祖国か、日琉同祖論批判」が渦巻いた。

破壊された沖縄の自然

あれから、五〇年、沖縄（琉球諸島）はどのように変わったのか。まず設置されたのは沖縄開発庁である。そして「沖縄振興開発計画」が策定され、今日まで形をかえながら五次計画まですすめられている。はじめに計画されたのが沖縄海洋博（一九七五―七六年）であるが、これは自然破壊を招いただけでなく、経済的にも打撃をうけた。詳細は省くが、とりわけ、会場周辺の企業による土地の買い占めがひどく、これに便乗して琉球諸島のあらゆる島々で、土地が買い占められた。

また、公共事業による自然破壊。土地改良事業は小さな島を敷き均し、海の汚染を招いた。

埋め立て事業、漁港や港の整備、高速道路建設、ことごとく自然が破壊されていった。さらに追い打ちをかけたのが、リゾート法である。先に買い占められていた土地に輪をかけ、ゴルフ場や、ホテル建設が進められた。沖縄県が発表した二〇一九年度の入域観光客数は一〇〇〇万人（ちなみに、「復帰」時は四〇〇万人）。さらにクルーズ船の誘致で一三〇〇万人に増やすとした。ところがコロナ禍で、観光業は悲惨な状態に。宮古、八重山諸島はリゾート開発で自然破壊がすさまじく、加えて自衛隊基地の建設で自然は二重に破壊されている。先島諸島の自衛隊配備は国の最大の防衛政策であり、島民を恐怖に陥れている。

さて、美しい海と空といわれてきた島々だが、今やそれは見せかけの美しさであり、私は沖縄の自然は絶望的なほど破壊されている、と思わざるを得ない。これからは、破壊された自然をいかに再生できるかということが、大きな課題となる。山原《やんばる》の森と西表《いりおもて》島が世界遺産に登録されたが、無策なままでは、それが逆に破壊をまねく結果となりかねない。首里城の再建も観光客の誘致が第一の目的なのである。最後に国会は「復帰五〇年決議」を行うという。何のための決議なのか意味不明だが、「強い沖縄経済」とか「平和創造拠点」を盛り込むらしい。国のいう平和拠点とは何なのか。まさか基地の強化ではないでしょうね。

（二〇二二年五月）

慶良間諸島周辺で米軍飛行訓練

一九四五年三月二七日、米軍ははじめに慶良間《けらま》諸島を占領し、四月一日沖縄島（本島）の中部に上陸した。沖縄戦のはじまりである。日本軍は前年には慶良間諸島に強制労働者としての軍属（軍夫）を送り込み、日本軍「慰安所」も設置した。慶良間諸島は二〇の島々からなり地形の変化に富んでいる。近年は、サンゴ礁目当てのダイバーたちのメッカとなり、ホエールウォッチングにも人気がある。

その慶良間諸島周辺で、年末年始にかけて米軍機の低空飛行訓練が行われている。飛行訓練をしているのは、嘉手納基地所属の三五三特殊作戦群の

ＭＣ１３０Ｊ特殊作戦機。米軍の訓練区域は、海軍訓練区域、空軍訓練区域、陸軍及び海兵隊訓練区域に分かれているが、慶良間諸島は、いずれの区域にもはいっておらず、訓練区域外となっている。なぜ、区域外で、訓練が行われているのか。

玉城デニー県知事は「県民の安全を守るために、地位協定の抜本的な改定が必要だ」と、一月八日の記者会見で述べているが、問題がおきるといつも「地位協定の改定が必要」で止まっている。また、識者の談話で「日米地位協定に米軍の移動の自由などは記されているが、訓練や演習に関する規定がない」（明田川融氏・法政大学教授、『琉球新報』一月九日）。つまり、米軍はやりたい放題の自由が与えられているということである。

慶良間諸島は、小さな島々ながら一〇〇メートル以上、二〇〇メートル未満の山が多数あり、その山々を縫うように、飛行訓練を行っているという。

また、慶良間諸島の北西には、渡名喜《となき》島（周囲一二・五キロ、人口約四〇〇人）

がある。渡名喜島に隣接した小島に入砂島《いりすな》というのがあるが、そこは、一九五四年に射爆撃場として設定され、連日実弾射撃訓練が行われている。七五年には航空自衛隊との共同使用となり、九〇年代には劣化ウラン弾が投下されたことでも問題になった。私は実際に目撃したことがあるが、海中に爆弾が投下されると、海面が山のように盛り上がる。今や、島は元の姿（地形）を破壊され、海中に沈没しかねない状態だ。かつて入砂島は、聖地として崇められ、周辺は豊かな漁場でもあった。渡名喜島の人々は、豊かな漁場を奪われたばかりか、放射能被害や流れ弾にもおびやかされつづけてきた。今、慶良間諸島も同じことがくり返されようとしている。ダイビングのメッカはそれどころではなくなるだろう。付近を回遊している鯨もどこかに避難するにちがいない。

米軍のやりたい放題ということが、なぜ、いつまでもまかりとおるのだろうか。

（二〇一二年一月『新社会』）

ペ・ポンギさん、三〇年忌に思うこと

今年で、ペ・ポンギさんが逝かれて三〇年になる。一九九一年一〇月、那覇市のアパートでひっそりとあの世へと旅立たれた。とはいえ、亡くなる数日前、彼女を囲む人々と共に七七歳の誕生祝いがなされ、手作りのサムゲタンを食べ、ビールで乾杯もした。決して孤独な死ではなかった。

ペ・ポンギさんの存在が初めて知られるようになったのは一九七二年のことである。一九四三年、韓国興南《フンナム》で、「女紹介人」に声をかけられ、翌年、釜山から沖縄へと連れてこられた。そのときまでは、そこではいつでも美味しいものが食べられると思っていた。それくらい、彼女の生い立ちは貧しく、貧しさ故に六歳のとき家族は離散し、結婚しても長くは続かず、放浪の日々を過ごしていた。そのことは川田文子『赤瓦の家』（筑摩書房）に詳しい。

渡嘉敷《とかしき》島の慰安所で九か月ほど性奴隷として過ごし、その後石川市の収容所に入るが、強制連行されてきた多くの韓国出身の人々は、戦後、韓国に帰還する。しかし、ペ・ポンギさんは沖縄に残る。帰るべき家がなかったのだ。収容所から出た後の異郷の地での暮らしは、日本軍の「慰安婦」としての暮らしよりももっと悲惨だったと、後に語っている。住む家をもたず、飲み屋街を転々として沖縄人やアメリカ兵の相手をし、日々を繋いだ。

ペさんが、海辺の佐敷町に住むようになったのは、七〇年代後半の数年間。サトウキビ畑に囲まれた小さな小屋に住んでいた。彼女の存在が知られるようになったのは、不法残留として強制撤去が命じられたことによる。それに対して、一〇年間働いた佐敷町の小料理屋の主人が身元保証人となり、沖縄に残ることができた。

その佐敷町（現南城市）に、私が引っ越してきたのは、八〇年代初頭である。高台の首里で生まれた私には、海に近くサトウキビに囲まれた住まいはめずらしかった。月夜の晩には、部屋の壁にサトウキビの葉が揺れているのが映り、潮騒が聞こえた。その私の自宅から、数百メートルしか離れていないサトウキビ畑の中に、ペ・ポンギさんが住んでいたことを後になって知った。そのときすでにその小屋はなく、近くにあった井戸だけが残されていた。

晩年に近くなると那覇に移り、沖縄の女性たちとの交流も生まれた。最後までポンギさんを支えたのは、キム・スソプ、キム・ヒョノク夫妻である。夫妻は「復帰」直後に、朝鮮総連沖縄県本部の職員（後に委員長）として赴任し、沖縄に留まった朝鮮人同胞を探し、調査していた。沖縄に留まった「性奴隷」とされた朝鮮の女性は他にもいたと言われているが、その人数はあきらかではない。

日本で日本軍「慰安婦」問題がとりあげられるようになったのは九一年、金《キム》学順《ハクスン》さんによる公開記者会見によるが、ペ・ポンギさんは、それより早く、その存在が知られていた。

また、九二年にはじめて女性たちによって沖縄の「慰安所マップ」が作成された。（二〇二二年四月『新社会』）

基地から有毒化合物、地下水を汚染

飲み水にもいろいろあった。八重山諸島の新城島《あらぐすく》、湧き水に乏しく、水道もない七〇年代、甕に溜めた雨水でお茶をわかした。また、沖縄島周辺の小さな島、粟国島では海水を淡水化した水を飲んでいる。「復帰」前、宮古島で暮らしたとき、ヤカンの底に石灰分が石のように固まった。サンゴのカルシウム分だ。いずれも川のないサンゴ島の水事情だ。今や、新城島は隣の西表島から海底送水で水を送り、不自由はない。水が軟水か硬水か、あるいは甘い（真水）か塩水かという水の質は、自然がなせる業である。

「復帰」前の九七年に「燃える井戸」事件があった。それは嘉手納町屋良ムラでおこった。庭先にある井戸水が燃えたのだ。原因は隣接する嘉手納基地からの燃料が地下水に浸透したのだ。そのとき、私は、すぐさま現地にいき、話を聞いた。まだ高校を卒業したばかりだった。地元のお年寄りから話を聞いたが、なぜか、諦め顔で、「こんなことは、もう慣れてしまった」と、声を落とし、しかし、怒りのこもった声で、よそ者の私に向かって言った。その言葉の意味は、以後、私の長い長い宿題となった。

基地からの汚染物質の流出、あるいは返還地に放置された有害物質は後をたたないが、今回、米軍キャンプ・ハンセンを抱える金武《きん》町の水道水から発がん性の有機フッ素化合物（PFOSとPFOA）が検出された。国の暫定指針値の一・四倍にあたるという。体内から排出されるまでに、四年ほどかかるといわれ、妊産婦の胎児に影響するという。

金武町水道課は、二〇二〇年に水道水を採取し、汚染物質を検出していた。しかし、公表していなかった。その理由として、調査期間が終了する二二年度に町民に説明する予定だったという。県企業局の送水する水と混ぜることで、指針値以下にしていたと説明しているが、この間、汚染水を村民が飲み続けていたことになる。町民からは怒りの声があがり、行政不信につながるとの声もある。

金武町には豊かな湧水があり、上水道の設置以前には、集落の管理運営する「簡易水道」で、独自な水を供給し、水道代も無料だった。上水道は「安全」という衛生観念がひろまったが、しかしどうだろう。今回の飲み水への基地からの毒性物質の混入は、水道水が必ずしも安全だとは、限らないことがわかった。

京都大学の小泉昭夫名誉教授は「汚染源の特定や除去責任を規定する土壌汚染対策法に有機フッ素化合物を登録する必要がある。米国は同様の法律でこの化合物の扱いを定め、米軍も米国内の基地では国の責任で除去している。日本国内も同様にすべきだ」と、指摘している(『琉球新報』二〇二一年一〇月二日)。

今、那覇など南部地域は北部のダムから供給される水を使用している。水まで、安心して飲めないようでは、もう生きていけないのではないか。「安全」な水がボトルで売れる理由だが、果たして……。

（二〇二一年一〇月『新社会』）

久高島の豊饒と生きる力

久高島は、南城市の離島。高速船だと二〇分でいける。人口二五〇（二〇二〇年）。二一年十一月六日に写真展とシンポジウム参加のため、島に渡った。主催は「まぶいぐみ実行委員会」。写真展のタイトルは「イザイホーの魂・久高のニガイ（願い）」。故・比嘉康雄、故・上井幸子の撮影で、復帰直後に撮られたものが多い。島では毎月行われる祭祀の中で、今回は一二年に一度行われる「イザイホー」の祭祀に限定している。七八年を最後に行われておらず、今回の記録は貴重なものである。両写真家は琉球の島々の祭祀を刻銘に記録しており、私は特に比嘉康雄さんと親交が深かった。そのこともあり、沖縄、宮古、八重山の写真展にも参加し、パネリストとして発言もしてきた。

今回の久高島で、巡回展は最後を締めくくるものであった。本来、今年一月に計画されていたが、コロナ禍で延期となった。今回も軽石が同港にもおしよせ、開催があやぶまれたが、島の人の努力で開催にこぎつけた。

シンポジウムのパネリストはすべて島の方々である。しかも三人の男性で占められた。

祭祀はすべて女性たちで行われるため、「どうして女性がいないの」という疑問はぬぐえなかった。実はそのことが、今の島の現実を物語るものでもあった。

最初に発言したのはなんと九三歳のお爺様であった。とても記憶が鮮明な方で、昭和一七年に行われた「イザイホー」のことを語ってくださった。そのときは、鳥越憲三郎が調査に訪れたという。鳥越は同年に沖縄県の「社寺兵事課」の嘱託として招聘されている。鳥越の仕事はおそらく国家神道を沖縄に浸透するためのものと想像される。明治以後、沖縄の土俗信仰である自然信仰や御嶽《うたき》信仰を神社化するのは国策であった。本来、鳥居を必要としない御嶽に、鳥居が建立されているのは、その名残である。（鳥居の撤去運動はあまり聞いたことがない。）

島の自治会長さんの話は少し深刻であった。報告の後、私は会場から発言を求められたので、二点について質問をしてみた。「久高島土地憲章」（一九八八年策定）という、日本でもあまり例をみない、島ごとの土地総有性、つまり私有を認めない憲章に注目してきたが、現在どのようになっているのか。二点目は、祭祀の後継者（神女）がいないということだが、血筋だけできめる（島外の男と結婚してもダメ）のではなく、もっとゆるやかにすべきではないか。

答えは次の通りである。土地の私有化が許されていないので、島の発展のさまたげになっている。また、神人の資格については神が決めることである。三人目の発表者も中学卒業後「海女」としてやってきたが、島には他に産業がなく、若者は島で生活をすることが困難、と。

たしかに漁を生業としている人たちは、対岸の与那原などで家をもち商いをしている人も多い。終了後、私は「祭りをしきるのは女たちなのだから、男ぬきで女性会議をしてみたら」と提案したが、どうなることやら。

（二〇一一年一一月『新社会』）

海（イノー）に生きる女たち

陽が沈むと夜の海は静かになる。昼間、イノーで飛び跳ねていた魚たちも夜になると藻にくるまれて眠りにつく。ムラの女たちは、そのときばかりと打ち揃い、海に出る。手には銛《もり》などももたない。眠りこけている魚を素手で捕まえるのだ。これは九〇年代に名護市嘉陽で実際に聞いた話である。女たちの中には、タコ採り名人もいればサザエ採りの名人もいる。そんな彼女たちを「ウミジョウズ」と呼び、その先頭にたつのが、「サグン神」である。「探る」とは沖縄語でサグユンという。女たちの漁は、網や銛をもつわけでもなく、素手で魚をつかむのである。しかも闇夜に。浅瀬の池に眠る魚は無防備で、それを女たちは感覚でとらえる。

イノーはムラ（シマ）の庭である。山原《やんばる》の集落は森（ムイ＝御嶽）、畑、集落、砂浜、イノーと続く。この一連の生態系が、ムラ人の生活圏となる。森はみんなが利用できる「入会《いりあい》の山」である。そこにも青年団や娘たちがそろって、薪や木の実の採集をした。それに対して、イノーは海の入会である。かつて琉球王府時代には「海方切」と呼ばれていた。「沿岸集落の人々は、毎年一定の期間に訪れるヨリモノ、スクなどの魚群、時にはイルカやジュゴンなどの大物を心待ちにして暮らしてきた。これらは原則的に集落全員に分配され、塩漬けの保存食として珍重された。」（平良勝保「琉球列島における人びとの営みと自然環境の変容」『琉球列島の環境問題』所収・高文研）。これらの「共同体資源の管理システム」は、今日失われたわけではない。憲法で保障されている生存の権利として存在している。また、漁業法でも、「海の入会の権利」として保障されている。

そんなわけで、海浜は、リゾートホテルが独占すべきものでもなく、専業漁業者だけのものでもないことがわかる。地域の人びとの生きる場所として、古くから保障されてきたのだ。安部《あぶ》のイノーにオスプレイ機が墜落事故を起こしたとき、米軍は「集落でなくてよかった」などと言っていたが、それはサンゴ礁文化の営みを知らない無知な発言だと言わざるをえない。（書き下ろし）

語り継がれる「芭蕉布物語」

かつて琉球の女たち誰もが自ら織り、普段着にしていた芭蕉布という織りがある。汗ばむ季節、トンボの羽のように軽く風をはらむその布は、帯などせず「うしんちー」*をして着こなす。柳宗悦は「芭蕉布物語」の中で、「なぜ、かくも美しいものが生まれるのか」と愛でた。柳は、美の背後にあるものを追求して「民芸」という言葉に到達したが、芭蕉布にもそれを見出した。「糸績《う》みのとき、女たちは三、四人あるいは大勢で寄りあって仕事をする。家々をまわり、霊譚（たましいばなし）や浮世話だとかしながら、手は休めず糸を績む」と、女たちが寄り集まり共同で作業すると記している。

共同作業すなわちユイマール。近代以前人々は相互扶助によってモノを生み出していた。多くの人の手による芭蕉布。

その芭蕉布が沖縄戦で消滅の危機にあった。それを復活させたのが喜如嘉出身の平良《たいら》敏子（人間国宝）である。敏子は戦争前、倉敷の紡績工場で働き、そこで柳と共に民芸運動に参加していた大原総一郎と運命的な出会いをする。大原は敏子に芭蕉布を蘇らせてほしいと託す。焦土と化した沖縄に帰って、郷里の喜如嘉で女たちと織り始めたのは、米軍家族用のテーブルセンターなど。それを生活の糧とした。今、平良敏子は九八にして未だに糸を紡ぎ続けている。彼女こそ、柳に次ぐ、「芭蕉布物語」の語り手だといえる。

物語はさらに続く。西表島で芭蕉と絹を交布（グンボー）にしたてた石垣昭子。グンボーとは島の言葉で交じり合うことをいう。石垣昭子は竹富島の出だが、美大を出た後、島に戻り伝統織りにうちこむ。竹富島には当時、随筆家の岡部伊都子が身を寄せていてその縁で、染色家の志村ふくみに出会い、志村の内弟子となる。それが開花したのは西表の植物たちから生まれる染料であり、豊かに育つ芭蕉木の発見である。平良敏子は西表にも出向き、昭子らに芭蕉布を伝授している。それに魅了されたのがファッションデザイナーの三宅一生で、ニューヨークやフランスなどでも紹介された。「芭蕉布物語」はこうして、石垣昭子によって再び語りつがれている。

＊帯をしめないで着物を腰の部分で下帯にはさみ込む女性の着付け

（二〇一九年五月）

ニコライ・ネフスキーと宮古島

宮古島の漲水《はりみず》港（現平良港）から、坂をのぼりきったところに「ネフスキー通り」はある。ロシアの言語学者、ニコライ・A・ネフスキーが、はじめて宮古島を訪れたのは一九二二年のことである。ペテルブルグ大学東洋語学部日本学・中国学科を卒業後、一九一五年官費留学生として日本に留学した。

宮古を訪れて後七〇年を経て『宮古のフォークロア』が沖縄の研究者らによって、宮古語と日本語訳で出版されたが、そのロシア語版を編集したリジア・グロムコフスカヤは「なぜ宮古島なのか。それはたぶん『神話創造の中心』の一貫した探求のなかで、宮古は探求者にとってこの意味における『約束の地』だからであるだろう。そこには独特な宗教儀式の諸要素、さらに言語、民俗においてもその地域独特なものが残っている」からだと、述べている。

ネフスキーが聞いた月の話に「月のアカリヤザガマ」がある。昔々大昔、お天道様がアカリヤザガマに「人間に変若水（シリミジ）を浴びせて、長命をもたせよ、蛇には死水（シニミジ）を浴びせよ」と二つの桶をもたせて下の島に遣わされた。ところが、アカリヤザガマが用を足しているあいだに、蛇が変若水を浴びてしまった。仕方がないから人間には死水を浴びせた。以来、蛇は常に脱皮し生まれ変わり、人間は死んでいかなければならなくなった。

この話を受けて、折口信夫は「若水の話」（『折口信夫全集』第二巻・中央公論社）で、万葉集に出てくる「月読の持たる変若水（ヲチミゾ）」の変若水という用語は、支那起源説としてきたが、これを改めた。「宮古方言のシジュン——日本式に言ふと、しでる——は、若返るというのが正しい用語例である」と。

沖縄本島でも、再生・長命を意味する孵《すで》るという言い方がある。不老不死を求めて旅する人類の最大の普遍的欲望の物語が琉球弧の島々にも存在している。

「すでる」あるいは「しじゅん」とは、言葉を超えてなんと命の妙を語っていることとか。

ネフスキーはソ連に帰国後、一九三七年に日本人の妻と共に粛清にあい銃殺される。死後復権をはたし『西夏言語学』等でレーニン賞を受賞する。

（二〇一九年六月）

琉球弧の果ての島・喜界島の不思議

十四世紀、琉球王府は奄美諸島を我が物とした。喜界島はその果ての小さな島である。琉球王府の正史『中山世譜』によると「尚徳王は自ら二千余騎を率い、大船五〇隻に乗って喜界島に至った」とある。

二〇一七年に喜界島を訪ねた。那覇から奄美空港に降り立ち、そこから小型機に乗り継いでわずか五分ほどで島に着く。人口およそ七〇〇〇人。サンゴ石灰岩からなる平坦な島である。かつての琉球人の役人の墓や、王府から任命されたノロの首飾りや勾玉が残されているなど琉球支配の痕跡が残されている。

しかし、私の喜界島への興味は、琉球の支配以前の古代史にある。シマの中央にあたる台地に「城久《グスク》遺跡群」と呼ばれる八カ所の遺跡群がある。土地改良事業の際に発見されたもので、そこから古代〜中世にかけての中国、朝鮮、日本本土からもたらされた陶器や磁器、石鍋などが大量に発掘された。とりわけ中国産である越窯系青磁は一七九点と琉球弧内で突出しているという。徳之島で生産されたカムィヤキも大量に出土している。そして四八四棟の掘立柱建物跡も発見された。

いったい誰がそこに住み、利用していたのだろうか。そして大量の品々はどのようにして運んだのか。そこには大宰府の出先機関があったとか、あるいは宋の商人の住まいだったという説もある。小さな喜界島に、と謎が深まるばかりだが、近年の考古学の研究では、喜界島こそ古代から中世にかけての、東アジア（環東中国海）の交易の拠点ではなかったかという仮説がなされている。「古代、中世日本の境界領域の研究」では、奄美大島と喜界島が焦点になっているという。中国、朝鮮、日本、琉球の境界領域に位置する島だからこそ多様な文化の波が寄せ、蓄積されたのだろう。琉球が攻め入った理由はそこにあったのかも知れない。

奄美世、那覇世、ヤマト世と世替わりに翻弄された島だが、壮大な石垣に囲われた阿伝集落の風景は基層文化の厚みを感じさせる。海上交通で世界がつながった古代、島は辺境ではなく交易の中心でもあったという証である。琉球弧の南の果ての宮古や八重山諸島がそうであったように。

（二〇一九年七月）

13 首里城、再建へ

西表をほりおこす会会長　石垣金星
一九四六〜二〇二二。環境保護の視点で「エコツーリズム」を推進。

首里城燃える。

私は、一〇月二九日〜三一日は西表《いりおもて》島祖納《そない》では節祭《しち》と称し農耕文化の新しい年を迎える特別な神行事を、琉球王国以来五百年に渡り執り行っていた。行事最中に誰かが首里城が燃えている、と耳にしたが、冗談だろうという思いでいた。行事も一段落して家に帰りテレビをつけると、焼け落ちる首里城の信じがたい映像にただ唖然とし、言葉を失った。この日私どもは大海よりニライカナイより五穀豊穣のミリク世の神をお迎えして新年の始まりを盛会に祝ってい た最中に、事もあろうに琉球文化の発信拠点の首里城が燃えていた。なんという皮肉で不幸な事であろうか。私は今年の節祭行事の総責任者として三日間にわたる全ての行事を滞りなく執り行う責任を負わされ、座る間も無く動き回っていた。

一九七二年沖縄は、米軍支配から抜け出すために日本への復帰の道を選択した。そして国有財産として首里城は復元されたが、沖縄県は日本政府へ年間二億円もの家賃を支払い、財団法人により運営してきたというのを知り驚いた。玉城デニー知事は辺野古新基地建設を中止させるべく日本政府と闘っている最中に、首里城が焼け落ちた。そして同時に首里城復元への取り組みが知事の肩に重くのしかかった。首里城焼け跡視察に来た沖縄担当大臣は、国有財産であることから国の責任で考える、と話していたが、首里城復元（飴）と辺野古新基地建設（鞭）という飴と鞭をちらつかせ、玉城デニー知事へ迫ってくることは目に見えている。復元の募金活動もすでに始まっている、さ〜どうする玉城デニー知事&我らウチナーンチュよ！　残念ながら燃え尽きた首里城にはウチナーンチュの魂は入っていなかった、と私は思っている。県民はもとより世界中へ首里城復元の募金を募り、沖縄の財産として全てのウチナーンチュの魂を込めた首里城を創ってはどうだろうか！　これまで様々な困難を乗り越えてきた我が沖縄である、いま歴史の歯車が音を立てて大きく回り始めた。困難は希望の道へとつながっている。

「アメリカ世《ゆ》や投ぎ捨てぃれ　大和ぬ世《ゆ》んちゃん投ぎれ　わした嶋琉球世《ゆ》創くてぃいかなディンサーー」

（二〇一九年一二月）

なぜ首里城は燃えたか？

琉球文化の拠点首里城が復元されて三十年余、その美しさは琉球文化を象徴してきた。しかし魂の抜けがら首里城であった。首里王府により定められた節祭《しち》は西表では数百年に及び、今日まで継承され盛会に執り行っている。節祭とは一年の節目に当たり、今年は十月二十九日己亥を節祭吉日と定め大晦日に当たり、翌三十日庚子は正日《しょうにち》と称し元旦に当たる。二十九日は各家々では家屋敷内外を掃き清め中柱に「しちまきかっつぁ」を結び、大海より浜へ打ち寄せたザラング（サンゴ石）を家の内より撒き、屋敷全体へ撒き、悪霊《マジムン》を追い払い、浄め、新年を迎える準備を整え、翌三十日は新しい年の始まり、ユークイと称し、二艘のサバニに、大海よりニライカナイより五穀豊穣の神、ミリク世＆世果報世を満載し、迎え入れる事ができた。前泊浜では様々な芸能を披露し新年を祝っていた。

私は節祭行事の総責任者という重責を、緊張しながらも滞りなく勤めを果たすことができた。行事の最中に誰かが「首里城が燃えている？」という声を耳にしたが、まさかという思いもあり気にも留めずにいたが、本当であった。何という皮肉な事であろうか？　琉球文化圏の西表祖納《そない》では、新年を迎え神と共に盛会にお祝いしている同じ時間に、首里城は燃えていた。私は身震いして頭の中は大混乱状態にあった。燃え落ちるさまをテレビで見た時、信じることができた。首里城は沖縄のものでなく日本国の所有物であることを知った時、あこれだ？　と私にはピンと来た。大金と時間をかけて立派に復元したが、肝心な「琉球の魂」を入れなかったのだ。かつて琉球国時代には、城内外を浄めマジムンを追い払い、新しい年を迎える儀式を執り行っていたはずである。節祭にはマジムンも来るので、外へ出歩くな！という昔からの言い伝えである。

三十年余に及び首里城にはマジムンだけがたまり溜まり、干支の最後の亥年の十月二十九日己亥の日からくすぶり続け、十月三十日新年に一気に噴き出し燃えたに違いない？　と私には見えた。防災のプロが調査しても原因不明らしいが、犯人はマジムンであった。

（二〇二〇年一月）

首里城再建——沖縄から琉球へ！

琉球文化の拠点、首里城が燃えて二ヶ月余になった。

首里城は沖縄県民の財産だと思っていたのが、日本国の財産であったことを初めて知り、たまげたのは私一人ではあるまい。再建への募金活動など、首里城への熱い思いがよく伝わってくる。再建に向けて玉城デニー知事が今なすべきは、沖縄琉球の財産として首里城再建をするという方針を、内外に宣言をすることであろう。方針が定まることで、自ずと再建への道筋は明らかになるであろう。

何よりも一番大事なことは、「琉球の魂」を込めることにある。琉球の魂を込めるのは、昔からの琉球建築の伝統を受け継ぐウチナーンチュ大工でなければならないことは当たり前である。

再建にはたくさんのお金が必要とされるが、日本政府は、沖縄に重たい負担を強いてきた歴史の現実がある。その負担の重さの分だけお金を出すことは当たり前のことである。そして国内外&世界中から、個人から、様々な団体から再建のためのお金が寄せられているのは周知の通りである。この際日本政府は、首里城にかかわるすべての財産を、沖縄県へ潔く寄贈するくらい懐の深さを見せて欲しいものであるが、期待しないほうがいい。

再建までには長い時間を要するだろうが、五百年に及ぶ豊かで美しい琉球文化を築き上げてきたのだから、これから「新しい琉球国」を創り出していくために、再建へ向けて、琉球人の心も力も一つにしていきたいものである。

明治政府は、武力により琉球国を滅ぼし、日本の一地方の沖縄県とした。あれから百四十年余、太平洋戦争で日本の捨て石とされた沖縄は、日米軍により焼き尽くされ、戦後二十七年に及んだあまりにもひどい米軍植民地支配から抜け出すために、一九七二年日本への復帰を選択したものの、日本は米軍とグルになり、今、辺野古新基地建設を強行している。

沖縄は、日本の安全のために犠牲になるのは当然だという、今の日本と沖縄の関係はもう辞めて、「政治的に対等な関係」を築く新しい時代へと向かうべき時が来たのではないか！

（二〇二〇年二月）

14

琉球の抵抗のこころ

詩人・批評家　高良　勉
一九四九年生。詩集『岬』（山之口貘賞）
評論集『魂振り　琉球文化・芸術論』他。

組踊上演三〇〇周年

昨年（二〇一九）は、組踊《くみおどり》が初めて首里城で上演されてから三〇〇周年目の記念すべき年であった。沖縄各地で、公演やシンポジウム等の記念行事が開かれた。

組踊は、一七一九年に玉城《たまぐすく》朝薫《ちょうくん》が初めて創作・上演した国劇である。朝薫は琉球古典音楽、定型の詩章、琉球舞踊の所作を総合化して創作した。そして、尚敬王《しょうけいおう》の冊封《さくほう》の時、正使海宝《かいほう》、副使徐葆光《じょほこう》ら一行を歓迎する重陽宴の舞台で上演したのである。その初演の演目は、「二童敵討《にどうてきうち》」と「執心鐘入《しゅうしんかねいり》」であった。

冊封とは、中国皇帝が琉球国王を封ずる事を目的とした最も重要な行事の一つであった。正副使を先頭に、「冊封使」と呼ばれる五百余名の外交団が中国から派遣され、約半年以上も滞在した。

琉球国側は、冊封儀礼の諸行事と同時に、「諭祭宴」、「冊封宴」をはじめとする七つの大宴を催して歓待した。朝薫は、先述の二作と共に「銘苅子《めかるしい》」「女《おんな》物狂《ものぐるい》」「孝行之巻《こうこうのまき》」を創作して上演した。これら五作は「朝薫五番」と呼ばれる。

組踊は、平敷屋《へしきや》朝敏《ちょうびん》や田里《たさと》朝直《ちょうちょく》らに継承、創作され、現在では七〇数演目が確認されている。一九七二年には、国指定の重要無形文化財に認定された。また、二〇一〇年にはユネスコ世界無形文化遺産に登録された。日本の能楽や歌舞伎と同様、人類共有の世界遺産になったのだ。

一方、二〇〇四年、国立組踊劇場が浦添市に建設された。この国立劇場によって、組踊の上演回数が大幅に増えた。また、劇場の事業によって若手組踊役者の養成が盛んになっている。さらに、「新作組踊」も創作・発表されている。

さて、朝薫から三〇〇年目は諸記念実行委員会による多くの公演があった。我が家もそれらの日程に大きく巻き込まれた。実は、私の女房は沖縄県立芸術大学の琉球芸能専攻教授を務めている。また、娘は琉球舞踊の師範である。それ故、沖縄市、うるま市をはじめとする五市町村での「組踊・琉球舞踊公演」に出演した。さらに、小学一年と六年の孫二人も子ども組踊「執心鐘入」に出演した。これは、朝薫作の組踊を小中高校生のみで上演したものである。このように私たちは三世代で上演三〇〇周年を記念した。

（二〇二〇年三月）

首里城再建へ

昨年（二〇一九年）十月三十一日未明、首里城で火災があり、正殿や北殿など八棟と四百点余りの「収蔵品」が焼失してしまった。多くの沖縄の人々が衝撃を受け、意気消沈した。しかし、さっそく沖縄内外で首里城再建への取り組みが展開されている。私たちは、三回のシンポジウムと学習会を開催してきた。これらをふまえて、首里城の歴史と再建に向けた主な議論点を整理し報告してみたい。

言うまでもなく、首里城は琉球王国の歴史と文化の中心であった。それゆえ、歴史の大きな曲がり目には、その中心に在って翻弄された。一六〇九年には薩摩藩に侵略され、植民地となった。一八七九年には、明治政府によって「琉球併合」され沖縄県が設置された。

一方、首里城は一九四五年の太平洋戦争・沖縄戦で地下に沖縄守備軍・32軍の司令部壕が建設された。そのため、米軍の猛攻撃を受け炎上し破壊された。それでも一九九二年には正殿等が復元された。

さて、首里城の再建に向けては琉球人のアイデンティティとの関係について何度も議論を重ね、深める必要がある。八重山や宮古諸島には「首里城は搾取・収奪の象徴でもある」という意見もある。離島の人々の指摘も尊重することだ。

次に、再建に当たってはできるだけ県民主体でいきたいものだ。再建主体は国主導でとの意見が強まるだろう。幸い、沖縄県や県議会は県民主体を唱えている。

現在、沖縄県の内外から多くの寄付が集まっている。二月五日現在、県と那覇市に合計約二四億円が寄せられている。首里城の被災額は、約七三億円と言われている。再建の費用と技術は、可能な限り沖縄県と県民主体でいきたい。長い目で見れば、首里城の所有権者の議論も必要である。現状は、城郭内の復元建造物の所有権者は国、城郭外の復元建造物は県となっている。首里城全体の所有権者を沖縄県としたいものである。

そして、首里城内外の中長期的な活用のやり方も議論すべきだ。現在の首里城は観光施設としての側面が強すぎる。首里城跡は世界遺産でもある。文化財としての保存と活用も考えなければならない。

（二〇二〇年四月）

琉球処分一四〇年

昨（二〇一九）年は、明治の琉球処分から一四〇年目の記念すべき年であった。『沖縄タイムス』紙は、「『琉球処分』一四〇年と沖縄」という企画を長期連載した。そこで、「琉球処分」をめぐる現在の議論を概括し、考察してみたい。

そも沖縄県の出現を、どう評価し何と表現するか。私たちが高校生の頃は、「廃藩置県によって沖縄県となった」と教えられていた。しかし、琉球王国の滅亡を廃藩置県一般で説明することはできない。何故なら、明治天皇は全国的な廃藩置県の翌年（一八七二）に最後の国王・尚泰王へ「琉球藩王と為し華族に列す」旨の冊封詔書を渡し、琉球王国を亡ぼして「琉球藩」を設置したのである。

そこで、現在の高校の教科書では「一八七九（明治十二）年には、日本政府は琉球藩および琉球王国の廃止と沖縄県の設置を強行した（琉球処分）」（『日本史B』山川出版社）と表現されている。

琉球藩設置から七年後の一八七九年三月二七日、琉球処分官松田道之は六〇〇余人の日本兵と警官に護衛されながら首里城に乗り込み、「琉球藩廃止、沖縄県設置」を宣言した。この時点を琉球処分と呼ぶことが多い。

しかし、沖縄の歴史家は、一八七二年の琉球藩設置から七九年の沖縄県設置に至る期間の措置を琉球処分と呼んでいる。そこで、西里喜行はこれらの過程を「廃琉置県処分」と称することを提唱している（『沖縄県の歴史』山川出版社）。

そして現在では、琉球処分より「琉球併合」と評価して表現する事例が増えている。波平恒男は『近代東アジア史のなかの琉球併合』（岩波書店）で強制併合を分析し、「二つの併合、琉球と朝鮮」を比較・検討している。

一方、琉球併合に対し琉球王国側は激しい抵抗運動を展開した。清国に救済を求めて嘆願をくり返した。これら抗日の思想と行動は、後田多《しいただ》敦『琉球救国運動』（Ｍｕｇｅｎ）で詳しく研究されている。

ところで、琉球併合翌年の一八八〇年に、日本政府は「琉球分割条約」問題を清国との間に引き起こしている。琉球併合の分析、評価はまだ定まっていない。

（二〇二〇年五月）

15

ニライカナイのくに、琉球

俳人　水彩画／随筆家　ローゼル川田

首里生れ、団塊世代。『よみがえる沖縄風景詩・水彩画&随筆』、詩『肝の愛さ』。

首里城炎上と江戸上り

昨年の一〇月三一日に首里城が突然燃えて焼失した。あれから一年目になる。数日後に「燃えた」を書いた。

首里城が燃えた／とつぜん燃えている／大きな焚火のように燃えている／
夜空は新しい花火のように／燃え上がっている／見てくれと叫ぶように／
燃えている
首里城が燃えている／星が瞬いて　点滅している／フクロウがあしたの方
に飛んでいく／カラスはきのうの方に飛び去った／三日月は消えて／晴れ
た夜空が見下ろしている
首里城が燃えている／池の水面が赤く燃えている／虚像も実像も燃えて／
くずれていく
首里城が燃えている／朝露がやってくると／燃えつきて消えた／取り残さ
れたように／龍柱がきょとんと立っている／朝露に濡れて立っている
首里城が消えた

一七一〇年、徳川家宣《いえのぶ》将軍襲職を祝う「慶賀使」と尚益王の琉球国王即位の

「謝恩使」を送る江戸上りの年である。

ところがその前年の一七〇九年に首里城は三度目の火災に遭い、琉球国は意気消沈の翌年でもあった。

慶賀使は正使の美里王子を筆頭に、のちの踊り奉行で、組踊の創設者として語り継がれる玉城親雲上朝薫《たまぐすくぺーちんちょうくん》である。実は、あまり知られていないが、ボクの祖先も書記官として随行していた。書家でもあった書記官の屋富祖親雲上《やふそぺーちん》仲辰《ちゅうしん》もその中の一人だった。『琉球史文化論』(池宮正治著)の中に書かれてあり、意を新たにした。

江戸城内外では、数々の儀式、文化交流が催された。その中には関白・太政大臣の博学多才の近衛家熈《このえいえひろ》の姿もあった。朝廷一の書家であり、詩歌、茶、華道にも精通。玉城朝薫らも諸芸能を披露。右筆(書記官)の屋富祖仲辰も近衛家熈太政大臣に一筆献上したところ、扇子を下賜されたと残されている(那覇市歴史博物館資料)。琉球では書記官クラスでも文筆に優れているという認識が朝廷や幕府内に広まり「琉球国之誉与成候」と薩摩役人を通して琉球王府に報告されたと書かれてあった。

その時から約二三五年後、太平洋戦争・沖縄戦により、空爆、艦砲射撃、地上戦の連続で那覇の市街地は廃墟と化し、多くの命が失われた。

父母は系図だけを抱えて生き残り、戦後の団塊の世代にボクらが生まれた。一七一〇年の江戸上り。あの時に書かれた屋富祖書記官の書に一目会いたい。

（二〇二〇年一二月）

コザ暴動の炎

本土復帰前の一九七〇年一二月二〇日未明。今から五〇年前のアメリカ施政権下の基地の街コザ（現沖縄市）で、米兵が起こした交通事故が引き金になり暴動が起きた。コザ暴動を語る時、その現場にいなかった不在性の引け目を感じているが、しかし、沖縄の中で起きた事実、その痕跡に触れることは出来る。復帰前後のその頃は、ヤマトの大学へパスポートを持って留学中であった。

ボクより年上の知人のウチナー青年（当時二三歳）は、暴動の夜、クリスマスソングが流れるコザの一角の食堂で民謡を聴きながらソバを食べ終えた。引き続きシャンソンが流れる喫茶店で、抽象画をぼんやり見ながら南の島の女がはこぶコーヒーを飲んでいた。同日は「毒ガス即時完全撤去を要求する県民大会」も開かれ、中の町社交街は賑わっていた。

いつもと違う騒音が表通りのホテル付近から聞こえ、瞬く間に民衆が膨れ上がった。過去の過酷な米軍支配による事故や事件、凶悪犯罪の数々。長年に渡る住民の怒りやうっ積した潜在意識の連続。

Yナンバーのアメ車、日本車が次々と止められる。どこからともなくウチナーンチュの号令が聞こえ、白人の男だけが車から引きずり出される。怒号の渦は止まらず、米軍や琉球警察と対峙。

「沖縄人《ウチナーンチュ》は人間ではないのか!!」反復する叫び声。普段は米兵相手のボーイたちまで、向かいのガソリンスタンドから瓶に入れたガソリンのリレー。道路は火の車と投石の様相。青年は無我夢中で白人の男たちを車から次々、引きずり出していった。数年前に米兵のトラックに轢かれ紙飛行機のように舞い上がって落下し、奇跡的に命拾いした事故が脳裏に浮かんだ。島津の侵攻、琉球処分、廃藩置県、太平洋戦争、敗戦終戦、アメリカ施政権下、ベトナム戦争では悪魔の島と呼ばれたニライカナイのくに。

青年は中年の白人の車のドアをこじ開けた。強くハンドルを握り哀願するようなブルーの目が眼前にあった。一対一の関係だった。指をこじ開けて車から引きずり出した。その後、暴動現場を離れた。

あの時の哀願するブルーのきれいな目が五〇年後の今も残っている。

(二〇二一年一月)

「夢幻琉球・つるヘンリー」から

先日、沖縄の民謡歌手の重鎮、大城美佐子さんが亡くなった。映画「パラダイスビュー」「ウンタマギルー」を世に出した高嶺剛監督、彼の映画作品はウチナーグチ（沖縄語）で、日本語の字幕である。「ウンタマギルー」はベルリン映画祭カリガリ賞に輝いた。その高嶺監督が大城美佐子を主人公に映画を制作した。今から約二〇年余前である。タイトルは「夢幻琉球・つるヘンリー」、妙に長い。

幼い頃、路地を歩いていると、あちこちの民家のラジオから沖縄民謡が聴こえてきた。暑い昼下がり、さらに気だるさを増した。身近に聴こえてきた民謡は遠い景色だった。

高嶺監督と連れ立って、大城美佐子さんの民謡酒場「島思い」に行き、映画制作が始まる。脚本の中には、民謡が数多く散りばめられていた。これまで遠い景色だった沖縄民謡が、美佐子さんの声を通して身に沁みこんできたのである。映画の中のつる（大城美佐子）は、実生活の美佐子と重なり、放浪の唄者《うたしゃ》である。気が向いた場所で演奏して有線放送に流している。ボクは幼い頃を思い出した。映画の内容は極めて複雑だが、沖縄の空気感に満ちあふれている。

映画の中でさらに「ラブーの恋」という脚本があり、映画の中の映画が展開される。復帰前の沖縄の高等弁務官を父親とする、混血の青年ジェームズ（ヘンリー）が登場し、つるはその母親である。

ジェームズの独白は現実味を帯びている。「わたしは人生の大切な事柄を保留にしたままだ。わたしの出生は祝福されなかった。だが、わたしは今の人生を有意義に過ごしたいと思う。わたしは沖縄を軍事基地としているアメリカを信用していない。祖国といわれる日本も信用しない。わたしのあり方をわたし抜きで、平気で決定した国家には、もううんざりだ。わたしはアメリカ人ではない。日本人でもない。沖縄人でさえないのかもしれない」

つるが歌う島唄が映画から突き抜けて、沖縄の風景の隅々まで水脈になっていく。

島津の侵攻、琉球処分、廃藩置県、太平洋戦争、敗戦終戦、アメリカ施政権下、ベトナム戦争……沖縄は太陽神を遥拝するいにしえ人から生き続けるニライカナイのくにである。


（二〇二一年二月）

今、魂をゆさぶる音楽家の五〇年

市場の老舗のレコード店から喜納昌永の「アッチャメー小」が太鼓、囃子と共に路地に響き渡った。カチャーシーの躍動感を体内に秘め、戦後の沖縄民謡の草分け喜納昌永が住んでいた原風景を見たいと思い、沖縄市（コザ）の久保田に向かった。

昌永さんの子息、喜納昌吉さんは「ハイサイおじさん」と「花～すべての人の心に花を」作詞作曲、大ヒットさせた音楽家であり、平和活動家である。百曲をこえるという作品はあまり知られていない。彼の音楽は日本を初めタイ、中国、台湾、アジアから世界へと広がりつつづけて親しまれている。「花～」は国境を越えて、言葉をこえて愛され続けている。

日本の歌一〇〇選でもある名曲は、団塊世代の彼が高校生の頃に生まれたという。東京オリンピック（一九六四年開催）の閉会式を見ていたら黒人、白人、黄色人種、世界各国の選手たちが民族や国境をこえて、喜びを分かち合っている様子を見ていて歌詞が浮かんできたという。身体に染みこんできた琉球民謡の旋律でもなく、メロディも琉球音階と日本音階がミックスしたような、それこそ喜納昌吉&チャンプルーズなのである。

一九八〇年リリースのアルバム『BLOODLINE』に収録されると、六〇をこえる世界の国々でカバーされ、またたくまに広がり愛される名曲になった。

一九九六年のアトランタ五輪プログラムではアジア代表となる。高校野球の応援歌としても知られる「ハイサイおじさん」は、彼が中学生の頃に出来た歌である。

冒頭で少し触れたコザ（現沖縄市）の久保田で生まれた。私は、その場所や空間に興味を覚え、偶然にも本土復帰五〇年の時に、突然彼に電話をしたところ、昌吉さんが電話の向こうで生家の場所を伝えてくれた。「島袋バス停・キャンパスレコードの脇の路地・背後の墓地群……」など、早口なのでよく聞き取れないまま「了解」とか言って単語だけを頼りに独り、道ジュネーとなった。

国道330号に面したキャンパスレコードの脇道を上って行くと、露地は二股に別れ、その一つを選び、うねるような、しかも滑りそうな坂道、下りたり上ったり曲がったりしながら車の通れないスージ小を抜けると、見晴らしの良い丘陵地帯に出た。クロトンを始め亜熱帯の植物が大きな亀甲墓や平葺墓を包み込むように群生しススキが西日に揺れている。その背後には戦後間もなく建ったのであろう民家やアパートが衝立のように遠景になる。

蜘蛛の巣状のようなスージ小（路地）を、民家と墓と原野が隣接した隙間を抜けていく。どの位置に佇んでも起伏のある風景の視界は広がり中城湾の水平線まで遠望出来る。

丘に立つ島袋小学校の正門の道沿いには「車に注意」の立看板面に「ハブに注意」も書かれている。ハブに注意しながら大きな亀甲墓が並ぶ原野の露地を歩いてみる。

北側には、いにしえの第一尚氏王統時代の「越来グスク」があり、尚泰久が王子の頃に居城した。

越来間切りには越来村、照屋村、仲宗根村、島袋村、比嘉村などがあった。とすると、墓と民家と原野が混在する島袋（現久保田）は古くからの集落だったのであろう。

路地で立ち話の二人の側を会釈して通り過ぎ、見晴らしのよい墓地群の原野を歩きまわった後、ある民家の大きなクルチ（黒木）で立ち止まる。

年配の婦人が木の側にいたので「喜納昌永さんが住んでいた家の跡地をご存じですか？」と尋ねると、指さし「ありっ、目の前の家さー」昌吉さんの生家だという。その数年後、昌永さんは近くに移るが風景は同じである。

喜納昌永は戦後の沖縄民謡の黄金期を築き、一九五七年には琉球民謡協会の設立に携わった。レーベル「ゴモンレコード」も設立。三線を立ち姿で弾く、現在の民謡のステージの原型を立ち上げた。「三板」（サンバ）の発明や早弾きの天才として知られ「カチャーシー特集」のLP盤や、他のレコードにはいち早く「ハイサイおじさん」（喜納昌吉）を取込んで、ヒットの引き金となった。視界が開けた明るい丘陵地の原野、墓地、民家が点在する場所を原風景にして遊びまわった昌吉さんの少年時代を想う。「ハイサイおじさん」が生まれた場所である。さらに数年後に「花～すべての人の心に花を～」が生まれたのも同じ場所であった。

戦後の沖縄の何処にでもある原風景だった。私は、何故かホッとした。

あのアップテンポの「ハイサイおじさん」の誕生秘話を聞かされたことがある。近くにアルコール依存症のおじさんが住んでいたが、戦争のトラウマを背負いながら生きる日々の中で、悲惨な事件が起きる。近所の子どもたちにも石を投げられる始末、おじさんも投げ返したが、自分の石が自分の頭に落ちて、何気なく見ていた喜納昌吉少年が思わず笑うとおじさんも笑ったので、親しくなっていく。

民謡歌手として名が知れていた父昌永の家には泡盛の一合瓶がいつも置かれていた。アルコール依存症のおじさんは、父母の留守を見計らって、時時々酒を貰いに、少年の喜納昌吉に声をかけてくる。こっそり、おじさんに酒を渡す。ハイサイ（やあ、こんにちは）がいつもの出会いの言葉から、詞が出来ていった。アップテンポの明るい曲とは裏腹に、言葉に出来ないほど悲哀に満ちている。

大ヒットした「ハイサイおじさん」の曲はそのおじさんとのコラボだと言い、生命力がそこにあると言い切る。

一九六九年に父である喜納昌永が出したLP盤に「ハイサイおじさん」を初めて収録したところ、人気に火が付き、一九七二年の本土復帰の年にシングル盤「ハイサイおじさん」をリリースしたところ大ヒットした。ちょうど復帰五〇周年と重なる。

復帰前の一九七〇年一二月二〇日未明に「コザ暴動」が起き、喜納昌吉もその渦中にいた。米軍統治下の沖縄は軍人や軍属による事故や事件が多発していたこともあり、普段からのウチナーンチュの住民の不満や怒りが鬱積、一気に爆発した事件であった。様々な人種差別、米兵同士の人種差別問題やらベトナム戦争の泥沼化による基地の島沖縄は悪魔の島ともいわれるようになった。「核抜き本土並み」を願った県民の願望は、基地は消えず、あれから五〇年が過ぎた現在も、宙に浮いたまま彷徨っている。その一言に尽きるのだが、尽きただけでは未来が見えない。

沖縄が本土復帰した時に、私は沖縄に居なかった。復帰前にパスポートを携えて、本土の大学に留学し、そのまま大阪で勤務、社会人になり、復帰数年後に帰沖した。

友人たちは、全共闘世代であり、本土でも沖縄でも情熱と思想を構築して論客になっていた。

中学生の頃聴き始めたビートルズ、日本の時代はフォークブームの渦中、適当に乱読しながら適当にフォークソング、グループサウンズで場と時を過ごしていた。

西成区の通称釜ヶ崎に戦後直ぐに移住して小料理屋を営んでいた叔父の家で大学の休暇は過ごしていた。養子になりそうな気配もあり、私の学費を出してくれていた。日雇い労働者の街は、活気に溢れて、店の客はその日暮らしの労働者で大繁盛。沖縄のコザの町のようでもあった。

五〇年の場所と時間を振り返ると、何が変わって何が変わってないかが見えてこない。しかし何よりも自らの立ち位置が何処にあるのかを問い直すことが大切であろう。

沖縄という場所性を何よりも大切にして表出し続けて来た「花〜」の音楽家は「すべての武器を楽器に」の標語を創出し活動を続けている。歌や踊りを媒体にして国家や国境をこえていく、他者との融合する力を感じる。「人類は退屈な平和よりも燃える戦争を選択してきた」と詩のように表出し「戦争よりもっと燃えるような『祭り』を広げていきたい」と締めくくる。先日、ウクライナの現地のジャーナリストとZOOM座談会をして、「花〜すべての人の心に花を」の歌をウクライナ語で歌う約束をしている彼を見た。歌で越境して行く力は土の中で繋がっていくような水脈の泉である。書き言葉の言語の数千年の歴史より、数万年の歴史の「歌と舞い」が人間の奥深い情念にあることを物語っている。

一九七七年の雑誌で喜納昌吉に三〇時間に及ぶ取材をした波田真は「これまで会ったどの思想家よりも、どのミュージシャンよりも強いショックと温かさを喜納さんから受けた」と記している。

彼のファンが多い中で、その反面、彼が愛する沖縄の中の表現者たちとの交わりを持ち、融合したいとの気持ちが大きいと率直に述べた。

歯に衣着せぬ言動や主張が、あるいは縄文性の大らかさが、一六〇九年以降の琉球の民が歩んできた無意識のチムグクルや感情のサイドブレーキの働きになっているとすれば「書き言葉」の領域を拡大化された中の日常性に閉じ込められた危うさを再認識する。

そんな場合ではない時代の足音が聞こえてくる。やはり、発見者はまれ人なのだろうか。

（二〇二二年七月、書き下ろし）

16

〈あいだ〉を翻訳すること、分有すること
――〈オキナワ〉と〈おきなわ〉を巡るまなざしの政治――

批評家 仲里効

一九四七年生。『悲しき亜言語帯』『遊撃とボーダー』(未来社)他。

「オキナワの少年」芥川賞の波紋

沖縄が「復帰」という名で日本に再併合されようとした直前の一九七二年三月から四月にかけて、『琉球新報』で「戦後の沖縄文学――その状況を探る」という連載が組まれ、その六回目にノンフィクション作家の佐木隆三が、東峰

夫の「オキナワの少年」が芥川賞を受賞したことに絡めて〝小説のもつ政治性〟について論じていた。題して〈「オキナワの少年」の漂着地は?〉。

日本の文学界が私小説中心であることに対して、米軍占領下の基地の街コザで米兵相手の「女商売」をやっている一家の暮らしや米兵と女たちのやりきれない現実を少年の眼を通して描いた「オキナワの少年」は、日常を扱っていてもそれが政治性を帯びてしまうことを話題にし、作品の中で少年が憂鬱な現実から脱出しようとしたのは無人島であったが、辿り着いたのは「祖国ニッポン」だったと読んだこと、そう読むと「オキナワの少年」が芥川賞を得たのは皮肉に見えてくる、と記していた。

ここで佐木が「皮肉」と見なしたのは、芥川賞が社会的事件になり、NHKの紅白歌合戦にならぶ国民的行事になってしまっていることにかかわるものであった。たとえば、一九五五年に石原慎太郎が受賞した「太陽の季節」が、高度経済成長期に入った日本の社会的流行現象となったり、古い話では火野葦平が中国の戦場で芥川賞を渡されたエピソードなどを挙げ、沖縄が返還されるその年の芥川賞に沖縄出身作家である東峰夫の「オキナワの少年」が在日朝鮮人作家・李恢成の「砧をうつ女」とともに同時受賞したことを無邪気に喜ぶことはできないとして、「すくなくとも、一九七〇年代の日本のアジア政策の拠点が琉球列島と朝鮮半島であることは、間違いないからだ」と結んでいた。

新聞の文化面という限られたスペースに寄せたエッセイではあるが、二つの意味で興味深い問題に気づかせてくれる。ひとつは、〝小説のもつ政治性〟が二重三重に絡み合っていることへと理解を導いてくれたことである。先に触れたように、米軍占領下のオキナワの日常を描くことがそのまま政治性をもってしまうこと、その小説が芥川賞の国民的行事化や国家のアジア政策に接合され、より巧妙な政治性をもってしまいかねないこと。むろん沖縄と在日朝鮮人作家、「オキナワの少年」と「砧をうつ女」が帯びる〈政治性〉の独自な力は、無媒介的に国家の共同性に絡め取られるものではないことはたしかだが、時代の地政によってはそうなってしまうことに、ノンフィクション作家佐木隆三の「皮肉」と疑念は向けられているように思える。

いまひとつは、第一の問題点と分かちがたく結びついていることではあるが、「オキナワの少年」の漂流先を「祖国ニッポン」であるとした、佐木の、あえて作品外へと誘い出していくこの読みの戦略には、小説のもつ政治性といい、受賞への皮肉といい、沖縄の「日本復帰」運動に対する懐疑的な見方が投影させられてもいる。日本を「祖国」として過剰に内面化し、併合を下から補完していく運動がどこへ行きつくのか、その危うさが意識されていた、と見なしてもまちがいにはならないはずである。

負性としてマーキングされた存在

しかし、「オキナワの少年」の漂着先が「祖国ニッポン」だったと読んだだにしても、それは少年の脱出が「日本復帰」運動の論理に囲い込まれたことを意味したわけではけっしてない。なぜなら「オキナワの少年」の後に書き下ろされた「ちゅらかあぎ」によって知らされることになるからである。

ここで、立ち止まって考えてみたいのは、東峰夫がなぜ第一作で「沖縄」をカタカナ表記にしたのかということである。その解を求めるとすれば〝小説のもつ政治性〟を別の視座から問題にしていくことを読み手に促していくことになるだろう。端的にいってみたい。すなわち「沖縄」を〈オキナワ〉にしたのは、アメリカの占領によって沖縄が変形されてしまうこと、それはまたアメリカ兵に沖縄人女性が性的に従属させられることの換喩となることであり、沖縄自体がそうなる、言葉を換えて言い直せば、占領の本質とはアメリカによって沖縄が女性化されて表象されてしまうことが含意されていることである。

「ちゅらかあぎ」は、少年から青年になった主人公がそんな片仮名の〈オキナワ〉から集団就職で日本「本土」に渡り、製本会社の住み込みや運送会社の助手や日雇い労働など、それこそ底辺を這うように漂いながら、ただ小説家になるための「文学勉強」を続けることの志と現実の乖離にゆれる心模様を、地を這うように辿っていく。思い出のなかの沖縄と実際の東京での生活が入れ子状に組み合わされていて、作品の基調を染めているのは〝ここではないどこか〟への憧憬のあてどのなさ、現世的欲望には頓着せず、流れること、漂うこと、だが消しようもない文学への執着の強さ。

ところで、では、〝小説のもつ政治性〟はこの作品のどこに、どのように見出すことができるだろうか。答えはこうなるはずである。すなわち、主人公が名前を持ったひとりの個性としてではなく、集合化され、しかも均一化された〈おきなわ〉と呼び捨てられるところにある。ここで注目したいのは〝沖縄〟が平仮名になっていることである。〝沖縄〟が〈オキナワ〉に、さらに〈おきなわ〉に変わるメタモルフォーゼに、佐木隆三がいう〈小説のもつ政治性〉を読むことができるだろう。しかも〈おきなわ〉という言葉は、一回だけではなく特別な意味を帯びたかのように複数回出てくるが、この〈おきなわ〉が使われる場面は、日本と沖縄の関係、というよりも、日本の地で沖縄を出自に持つことがどのような位相におかれ、位階化されていくのかを庶民意識のレベルで垣間見せる瞬間にもなり、影の言語のようにもなっていて、なかなかに興味深い。このからくりには、名によって、名とともにあった固有性が消去され、均一のイメージに拘束していく〝まなざしの政治〟が介在していることを見逃すわけにはいかないだろう。

たとえば、製本会社のピクニックに参加せず、住み込み先で独りでいるとき、賄婦も兼ねている社員の佐藤さんの奥さんが「おきなわは、行かないか?」と揶揄と非難が混入した声を投げかけたこと、それが気に障り、佐藤さんが秋田出身であったことから「あきたはいくのか?」という言葉が喉元にまで出かかったこと、半年以上勤めているというのに「ぼく」を〈おきなわ〉とか〈あまみの人〉としか呼ばない。また、仕事を休み外出して住み込み部屋に帰るとき、社長が待ち受け「おきなわのやつ逃げ出したりして、どこへいったんだい?」と詰問するに違いないと妄想し恐れたこと、さらに、日曜出勤を休んで部屋にいると「どうした、おきなわくんよ」ときたのだとか、「やる気になってくれ、ちゃんとめんどうみてやるからな? おきなわくんよ」と説教されるところなどである。ここで問題にしたいのは、会社の規則や人間関係などの縛りから「ぼく」がドロップアウトしていることではない。そうではなく、〈おきなわ〉や〈おきなわのやつ〉や〈おきなわくん〉と名指されることにあり、その名指しには常にすでに沖縄出身者が負性としてマーキングされていることにある。マーキングは〝政治性〟の言い換えでもある。

挿入された逸話は、東峰夫の実体験に基づいたものであることはまちがいない。呼び捨て、見下される〈おきなわ〉の内部の怯えに、訓育され鋳型にはめられることへの恐れと軋みを聴き取ることができないだろうか。「オキナワの少年」の片仮名の〈オキナワ〉がアメリカの占領支配による変形の換喩だとすれば、「ちゅらかあぎ」のなかの平仮名の〈おきなわ〉は、日本の中に編入されながらも、だが、国民意識の境界の外に追いやられていく心的メカニズムが注視されているはずである。まぎれもないその機制に、本土中心主義と植民地主義が未だなお残存していることを見て取ることができる。言葉を換えて言い直せば、日本の内に包摂されながら外に排除されている、あるいはその逆の外に排除されながら内に包摂されている、という奇妙な状態のことである。「ちゅらかあぎ」の〈おきなわ〉は「ぼく」がおかれた状態、いわば、「ぼく」へ向けられた〝まなざしの政治〟が働いているといってもよいだろう。

カタカナと平仮名、〈オキナワ〉と〈おきなわ〉、アメリカによる女性化と日本による包摂的排除＝排除的包摂、つまり包摂と排除の相互代入によって出現する境界なるものに、沖縄の〈在日性〉を読むことができるはずだ。これは作家が意図したものではないにしても、作品によって気づかされるのはまぎれもない〈在〉の境界性を生きることの怯えと漂いと不遇感ではないだろうか。

内なる植民地主義

こうした〈おきなわ〉と〈在日〉を一九七〇年前後の激動の季節に、政治思想と実践の領域にラディカルに翻訳してみせたのが沖縄青年同盟である。沖縄青年同盟とは、アメリカ占領下の沖縄から留学や集団就職で日本「本土」に渡ってきた一〇代後半から二〇代初めにかけてのアドレセンスが日本において〈在〉を生きることの傷や痛みを、日本復帰運動が目指したこととは異なる生存の思想を模索し、第三の視角で解き放とうとして組織された結社であった。「ちゅらかあぎ」の主人公の平仮名の〈おきなわ〉は若き沖縄の経験でもあった。そのことの気づきはまた、日本（祖国）復帰運動のなかで育てられた定型が揺さぶられ、壊れ始めていくきっかけにもなった。沖縄の戦後世代は、日本復帰運動の中核となった沖縄の先生たちによって、「日本人＝日本国民教育」

や「沖縄語廃止＝標準語・日本語励行」を規律・訓練され、沖縄的なるものを忌避し、言語と主体を変造していくことを強いられてきた。規律・訓練された意識と身体が〈おきなわ〉や〈おきなわのやつ〉や〈おきなわくん〉によって揺さぶられることは、日本の枠組みにはインクローズできない〈あいだ〉を発見し、分有していくことを促したはずである。それを可能にしたのが七〇年前後の沖縄の転形期に、それまでの沖縄の政治や社会意識を一色に染め上げてきた、「復帰」運動の陥穽を内側から鋭く抉り出していった〈反復帰〉の思想との出会いであった。沖縄を出郷した若き沖縄たちが発見した〈あいだ〉とはまた〈在日〉の発見でもあった、ということである。

転形期沖縄の熱と渦のなかから生まれた批判思想としての〈反復帰〉の思想は、明治の琉球処分による併合後、間断なくなされた日本という一系へと身の丈を合わせていこうとした内なる植民地主義＝自己植民地主義が、戦後も復帰運動という形をとって残留していることを批判し超克していく試みであった。

日本を「祖国」として幻想し、抱き取られていこうとする初期の素朴な救済願望から「日本国憲法」や「反戦」や「完全」や「真の」などの冠を変え、時代によって変わっていったにしても、変わらない基底の従属ナショナリズムは、自己植民地主義＝自発的隷従の戦後的再生でもあったのだ。アメリカの占領からの脱出を〝日本〟を過剰に欲望することによって遂げようとする、そのありようが国家と国民への囲い込みを逆に下から補強していくイデオロギー装置にもなった、という要諦をけっして見逃すことはなかった。

そのイデオロギー装置を、ベトナム戦争の敗戦局面の打開のためのアメリカのアジア再編と、敗戦による植民地責任の隠蔽と対になった領土的境界を引き直そうとした日本の戦後再編にシフトチェンジさせたのが一九六九年一一月の佐藤・ニクソン会談――日米共同声明であった。日米共同声明路線は、それまでのアメリカによる排他的・一元的支配から日本を引き込むことによって、つまり沖縄の日米共同管理体制への移行であり、そのために復帰運動の従属的ナショナリズムの体制内回収を謀ったということである。装置となった復帰運動のイデオロギーは日米両国家のヘゲモニーを補完する内に捕縛されていたということを意味している。〈反復帰〉の思想はそうしたイデオロギー装置としての復帰運動の盲点を抉り、それまでの沖縄の政治・思想文化を新たなる次元へ開き、拓いていく幅をもっていた、ということができるだろう。

〈反〉の蜂起

日本「本土」において〈在〉を生きた沖縄戦後世代の結社とは、〈反復帰〉の思想との出会いによって、己のなかの病根に気づいていく痛覚からはじまった精神の革命と自立への胎動を孕む、日本という国家と国民に等号では囲い込まれない沖縄のまつろわぬ生存の歴史を〈反〉と〈非〉のプリズムで露光し、それを〈在日〉において生き直した実践の謂ともいえよう。沖縄が日本に帰ろうとした、その「帰る」ことの幻想の内部にある終わらない植民地主義の陥穽に風穴を通そうとした思考であり試行でもあった。

そのラディックスに内実を与えたのが「オキナワの少年」と「ちゅらかあぎ」に独自な律動を与えている沖縄のことばへの注目であった。復帰運動のなかで忌避され死にゆこうとする言語を、創造的に奪回し解放の共同性に翻訳していく、その翻訳行為において日本語の閉ざされた秩序の囲いがゆさぶられ、〈在日〉を生きる場でイディオムが独自な韻とリズムを孕んでいく。文学を政治へと越境させ、逆に政治を文学へと送り返していくこと、そのことによって文学と政治を同時に組成し直す、そんな相互転生であり、またパルタージュでもあった。

そしてそれは、こんな具体となって表出された。一九七一年一〇月一九日、沖縄返還協定を批准する「沖縄国会」と言われた衆議院本会議の冒頭、佐藤栄作首相の所信表明演説の途中で、沖縄青年同盟に属する三人の行動隊員が日本の国会史上はじめてとなる爆竹を鳴らし、ビラをまき、「沖縄返還」そのものに異議を唱え、「日本が沖縄を裁くことはできない」「すべての在日沖縄人は団結して決起せよ」とメッセージを発し、逮捕・起訴される。その第一回公判では沖縄の言語をもって陳述するという、これまた日本の裁判史上類をみない挙に出る。この国会内決起闘争と沖縄語裁判闘争は、日本国裁判所法第七四条「裁判所では日本語を用いる」という条文によって強制的に阻まれたが、ことばがはじめて法廷に立った抗いは、内なる植民地に浸食された心身に少なからぬ衝撃を与えたことはまちがいない。

東峰夫の「オキナワの少年」の片仮名の〈オキナワ〉と「ちゅらかあぎ」の平仮名の〈おきなわ〉の〝まなざしの政治〟に降り立った若き沖縄たちの思想と行動は、転形期の生存の光景に独特な陰翳を与え、〝小説のもつ政治性〟へ第三世界の眼と声を通したといえるだろう。アメリカの占領によって変形した片仮名の〈オキナワ〉と日本の内に包摂されながらも外に排除される平仮名の〈おきなわ〉、そのねじれたメカニズムの認識論的切断とメタモルフォーゼのための創発でもあった。

沖縄の戦後世代の脱出と漂流はまた、アメリカ占領下のやりきれない日常への少年の「べろやー」(「いやだ」という強い拒絶の姿勢を意味する沖縄語)を〈在日〉において翻訳し直すことであった。「祖国ニッポン」に漂着し、物象化された〈おきなわ〉の解き放ちであり、日本とアジアの〈あいだ〉を織り上げていく旅でもあった。若き沖縄たちの結社の思想はまた、「本土」中心主義と自発的隷従の終わらない円環への「べろやー」という名の〈反〉の蜂起でもあった。

〈オキナワ〉が〈おきなわ〉へ変わることによって引き受けさせられる〝まなざしの政治〟とは、包摂と排除がねじり合う奇妙な構造を生きることであったが、この奇妙な構造は一九七二年以後、沖縄そのものが日本の版図に組み込まれることによって、より巧妙に、より細密になっていった。だが、一体化と系列化のローラーをかけられたポスト「復帰」五〇年の明るい闇の奥に視えてくるのは、一系の版図に囲い込まれてもなお消えることがない沖縄の〝異邦性〟

と外を穿つ未完の〝べろやー〟でもあった。

封印された〝異邦性〟を発見すること、〝べろやー〟を再審すること、そのことにおいて東アジアの大陸と半島の周縁で、同様に国家テロリズムに晒され、領土的思考の内に包摂されながらも外に排除された群島と飛び地（琉球弧―台湾―済州島）は潜勢力で繋がっていくにちがいない。ナショナルなナラティブを介在させない異集団間の接触の思想のために。

＊この小論は、韓国の釜山大学（AALA Literature Korea）が主催した二〇二一年度「アジア・アフリカ・ラテンアメリカ文学フォーラム」（二〇二一年一〇月一日）の第四部「アジアの声」での発表原稿に、加筆したものである。

絶対不戦の思想——「おわりに」にかえて

川満信一

1　新兵器の実験場

復帰五〇年、沖縄戦後七七年の節目として、新聞や雑誌・出版物、テレビなどで様々な企画が展開されている。まず復帰については、生活水準の上昇に重きをおいて、「良かった」と肯定する層と、相変わらずの所得格差を不満として、

「良くない」と答える層に分かれた。

しかし、戦後七七年という節目に関しては「戦争はしてはいけない」という意思表示が殆どである。ところが、政治が絡みだすと、自分を守る、家族や国を守るという本能的な保身の意識が刺激されて、日米安保体制を良しとし、場合によっては自衛隊の先制攻撃を良しとする意識へ分かれていく。

特に最近は、政府の教宣に唆《そそのか》されて、「中国や北朝鮮が攻めてきたらどうするか」と生々しく突きつけられ、揺らいでいる人々が多くなった。戦後○○年とか復帰○○年という節目には、沖縄戦の記憶の箱が大きく開けられるので、好戦的発言は禁物である。しかし気心の知れた仲間内の集まりでは、核共有による敵地攻撃を良しとする意見も出たりしているだろう。そういう発想をする人々は、核の標的下に自分をおかない。標的下から発想するとどうなるかを考えてみることだ。

現在進行形のロシア―ウクライナ戦は、グローバリズムの資本主義世界における戦争の形態が、どういう発火の仕方で、どういう展開になるかという見本を示している。最早、国家対国家、国民対国民の闘いではなく、NATOという制度と社会主義制度の対決という様相である。第二次世界大戦でも、ドイツのポーランド侵略、日本のアジア侵略からエスカレートして、最後には日・独・伊の三国同盟と国連自由連合軍（ソ連・中国は連合軍）の大戦という総力戦になった。陸上・海上の闘いから空の闘いへ進化し、武器性能の飛躍的向上で、東京空爆、沖縄戦、広島・長崎原爆へと展開した。

いま、ウクライナの戦場の映像を見ていると、凄まじいばかりに進化した地上兵器の実験がさらけ出されている。映像で映し出される新兵器は、五〇〇km、一〇〇〇km先を狙い撃ちする、まるでSFの世界である。沖縄戦を遥かに凌ぐ悲劇をイメージせざるを得ない。

戦争は、川向かいの藩主と山裾の藩主の、やあやあ我こそは……ではじまる礼儀作法に乗っ取った武士の戦争から、低級な武器しかない植民地へ、一方的に押しかけた第一次近代戦争へと発展し、盧溝橋や真珠湾のような陰謀めいた宣戦布告無しの第二次近代戦争へと展開してきた。そして過剰生産の武器を消費し、再生産するための第二次後期近代戦争（朝鮮・ベトナム・アフガニスタン・イラクなど）へと継続してきた。第三次近代化の戦争は、いまウクライナで進行しているＩＴ技術を組み込んだ新兵器の性能実験と、背後を支える軍産複合の体制だと思う。「戦争はいけない、戦争はやめろ」、人々の体験から絞り出される声も、第三次資本主義革命という滔々たる流れには押し流されてしまいそうだ。

2　制度死と実存死

雑誌『現代思想』で、高橋順一が吉本隆明にインタビューした「肯定と疎外」と題する論があった（二〇〇八年八月）。その中で吉本のおやじさんが、戦死というものがどういうものかを教訓のように語るところが印象に残っている。おやじさんは、久留米師団の兵隊として、青島《チンタオ》に出征していたという。

「お前は男の子だから兵隊に行くのもいいけどな、だけど兵隊って言っても華々しく敵と撃ち合って死ぬことは滅多にないんだよ、大抵はジャングルの中で潜んでいたら上から土が落ちてきて埋まっちゃったり、行軍中にお腹を壊して下痢続きで落伍して死んでしまったりということが多いんだよ」

戦場で撃ち合って、敵の銃弾に当たって華々しく戦死する、というイメージを抱いていたであろう吉本は、戦場へ向かう自身の決意（諦め）とのギャップに戸惑ってしまったようだ。

太平洋戦争が始まってすぐのころ、母親の弟にあたる叔父が、輸送船で南方へ向かう途中、水難事故で沈没して遺骨が送られてきた。その遺骨箱には小石がころころ転がっていた。恐らく魚雷攻撃にあった（と後から思った）が、当時は大本営発表が水難事故であれば、それを信ずるしかなかった。水難事故死と魚雷攻撃による戦死とでは、本人の実存的な死と軍国制度による他律的制度死という違いがある。事故死とされた以上、戦死者として「平和の礎《いしじ》」に名を刻むわけにもいかず、六月二三日の「慰霊の日」になると、心理的問答を繰り返している。

実存死と制度死の違いは、特に戦時の場合、認識をはっきりさせなければいけない。

戦場体験の文学では、この実存死と制度死の際どい交錯が描かれる。たとえば大岡昇平の『野火』で敵対する兵士が出会う。兵士という自覚に立てば、相手も国の正義を背負って死を覚悟の兵士ということになるから、引き金を引くのはお互いに正義である。しかし、他律的な正義からずれて実存の生命として相手を認識すると、相手の存在は自身の実存的生命と同等の比重になり、制度が保障していた正義は消えてしまう。制度死の根拠を失って、睨み合ったままどちらも引き金を引けない状態が描かれていた。そこでは戦場へ駆り出されるまでの、こちらの正義、あちらの不正義はもはやなんの意味もない。

国家が保障した正義の軍隊の兵士同士であれば、制度的暴力の関係で戦死ということになるが、制度的暴力関係の極限で、相手の視線の内に実存の「いのち」を見てしまった以上、制度意識は凍り付いてしまうはずだ。

それでも近代国民国家の病理である軍隊の、正義を掲げた戦争は止むことがない。制度上の違いをめぐる戦争を克服する手だてはすでに見えているはずだが、実行までには時を要するのだろうか。生物としての生命保存の闘いは、まだ人間にも乗り越えることは難しいかもしれない。（そこを乗り越えるには〈如来の論理〉に頼るしかないかもしれない。）

何はともあれ、いまや世界は資本主義一色であり、生活的欲望は共通項を広げているはずだ。ロシアも中国も遅ればせに資本主義化した変形資本主義だと見る。ちょっとした国家制度の違いを、格差による利益を得るために、利用しているだけだという見方もあるが同感である。そして現実に現象化している経済の、世界的連動性の物価高、エネルギー価格の混乱、食料流通の手落ちなど、国家間の関係は、いよいよスモーキーになっている。制裁とか戦争という昔の手段に浮かれている場合ではないのではないか。制裁の跳ね返しによる世界市場の混乱、場所を東海に移した戦争の危機はひしひしと身に迫っている。

先ほどから繰り返すように、国境争いは、軍隊を最終的政治手段とする近代資本主義国家の病理である。国民国家は目いっぱいの拡大で、地球上いたるところで国境争いの要因を作っている。ウクライナの地勢は、NATOとロシアの領地拡大の接点になっており、だからこそどちらも迂闊に手をつけてはいけない場所だった。プーチン大統領の軍事侵攻は無策過ぎたが、それを受けたゼレンスキー大統領のアピールも拙速だったし、アメリカを中心とするNATO諸国の支援体制も戦争をけしかけている印象だった。

NATOのウクライナへの無制限な軍事支援は、領土拡大主義の変質した表現でしかない。なかでも米国のなりふり構わぬ軍事支援にはあきれてしまう。

国境をミサイルで囲まれてしまう、というプーチン大統領とロシア軍の恐れも故《ゆえ》無しとしない。

米国は「すでにウクライナの二〇二〇年の国防費の六割近い三四億ドルの軍事支援を行っているのに加え、四月二八日にはさらに三三〇億ドル（約四兆三〇〇〇億円）の追加支援を行うための予算を議会に要請した」という。すでにウクライナへの軍事支援総額は一一兆円を超えたようだ。これだけ出費しても、見返りがあると踏むから支出するのであろう。悪魔の侵略とされたプーチン大統領が、イラクのフセイン大統領と同じ運命を辿るまで、周辺国の軍事的緊張は強化され、開発された新兵器の需要は高まることになるのか。しかも、その緊張はインド・太平洋に持ち込まれ、北朝鮮有事、台湾有事、仮想敵中国と世界的な広がりを作り出している。戦争の危機にあたって、要求されているのは制度的死か、必然的な実存の死かを考えなければ、無意味な戦の犠牲になるだけである。

3　白旗の思想

沖縄がウクライナと同じく、情況の最先端に立たされていることは、皆が気づいているところである。こうした世界的潮流を、資本主義の第三次革命期と捉える意見がある。

その見方に従えば、第三次革命のバトルがハードランディングになるか、ソフトランディングになるかで、人類史規模の――例えばノアの箱舟のような決定的事態が生じるという。

終末史観は古代から繰り返されてきたが、人類は終末的事態を幾度もくぐってきたように思う。ただ、いままではその〈事態〉に地域差や時間差があり、それぞれの神話へ昇華されてきたのだった。ところが政治、経済、文化など、支配制度が国境を超えてスモーキーに相互浸透したグローバリズムの現代では、一蓮托生の共死的条件が強化されている。

（そのために、常民に過ぎない専門外のものでも、目撃している事態を分析し、その組織的矛盾を克服するイマジネーションを大いに発信する必要があると思う。）

人の性をめぐって、性善説と性悪説が唱えられてきたが、概念（言葉）の軸に己を縛るために結論は極端へ向かい、性善と性悪は分離したままだった。また戦争と平時の犯罪を同一レベルで考えるから、事態に対する判断が混乱する。

戦争は制度の矛盾から結果する。クラウゼヴィッツの『戦争論』が、企業競争の戦術として応用されるのも、制度上の共通性である。軍人として戦争に参加することは、片方の制度に順応することである。どこの国でも旗印は正義であり、正義に準じて、国を守り、家族を守るという理屈になる。危害を加えるものを撃ち殺し、悪を懲らしめる。ここでは実存的性悪説と性善説が矛盾なく接ぎ木されている。

〈戦争が日本の国内にまで及んで、自分の目の前で家族のだれかが殺される、あるいは――日本軍が本当にそうしたかは知りませんが――刺殺されたり銃殺される家族があったとして、お前はそのときに何もせずに引っ込んでしまうのかと言われたら、それはノーです。つまり僕は乱暴だから、そうなったら癪に障って抵抗するかもしれないし、銃で殺してしまうことはありうると思っているわけです。しかし、それは憲法の非戦条項に違反することじゃなくて、少し次元が違うことです。肉親や子供や孫が殺されるならば、相手に反抗したり、あるいは殺された人たちとともに反抗するということは、リアルなその場の問題であり、別の次元ということになるのではないか。そこまで九条の非戦条項に拘束されることはないだろうと。〉

先ほどの高橋順一とのインタビューで、憲法九条をめぐり吉本氏が答えている部分である。

憲法は制度であり、それに従うことは制度を生き死にすることである。一方、子や孫が目の前で殺されるときの心的反応は実存である。制度を背中に事態に対処するか、実存的リアリティーで対処するかは、文化や宗教の違いなど事態は千差万別であり、次元の異なる問題を混同させてはならない。

吉本氏も言うように、日本の憲法九条は第二次世界大戦を潜って手に入れた宝であり、非戦を、実存的次元から制度的次元へ引き上げた人類史初の思想であった。

近代国民国家の病理として制度化された軍隊は、国家間の政治的交渉の課題を、結局は戦争で決着をつけるという方法しかもたない。しかし、技術の進化が戦争の在り方を変えてしまって、戦争を政治の延長と考えた時代から引き離してしまった。かつては、正義の片鱗もあったかも知れない戦争だが、いまはジェノサイドの悪でしかない。

ウクライナ戦で気づくまでもなく、現代の戦争はにわか雨と同様、あるとき、いきなり空から襲ってくる。平時においてもこうした危機的な心理の抑圧を耐えつつ、不条理を生かされているのである。そこから脱出するためには、戦線から脱走する兵士のような、ぎりぎりの意思が必要だろう。その意思の支えとなるのが憲法九条であり、わたしが「琉球共和社会憲法私案」で提起した〈白旗の思想〉だった。インドのガンジーの、〈無抵抗の抵抗〉の思想をさらに未来へ発展させる構想である。

憲法九条は、こうした時代の変化において、人間が天寿を全うする唯一の制度規定だとみる。〈天寿全う〉とは制度死と実存死が限りなく近づいて矛盾しないことである。

憲法九条の〈絶対不戦〉の思想を、現実に引き据えて考えると、戦わずして降参することであろう。問題の解決手段として、戦備もしない、戦争という方法も取らない、と宣言しているのだから、相手が攻めてきても白旗を掲げ、一応は〈降参します〉と対応するしかない。

つまり、沖縄戦で震えながら白旗を掲げ、壕から出た少女の〈負ける勇気〉が必要とされる。少女の場合、自分の意思ではなく、日本軍や、壕で一緒の島の大人に脅迫されての行為だったことも考えられるが、未来構想の〈絶対不戦〉の思想では、白旗に託した〈負ける勇気〉として主体的、意志的に立て直す、ということである。この〈絶対不戦〉の白旗の思想を、どこまで忍耐強く世界に認識させるか、そこが勝負どころだったが、堪えきれずに失敗してしまった。いま、日本は〈不戦憲法〉という〈偽旗作戦〉で世界に対応している。自衛隊を国連軍に移して、九条の非武装を再度国是とするか、玉砕を覚悟の〈偽旗作戦〉を押し通すか、際どい政治選択の岐路に立たされている。

負けん気の強いヤマト民族が、白旗を掲げて、戦わずして降参するというのは、あり得ない話のようにも思える。過去の歴史事例を見ても、〈外交〉という問題解決には高度の知性と忍耐を要し、非知性的な感情的短気では失敗している。

向かって行くだけが勇気ではなく、負ける勇気を九条の理念は促している。スポーツと憲法は次元の違う問題だが、九条を背にした外交は、柔道のように相手の力に負けて、その力の赴く方へ〈負けるが勝ち〉の成果を得るのである。一六〇九年の島津侵攻以来、〈空道の思想〉* を活用して外交し、強さをはぐらかして、諸外国との不利な条約をも忍耐強く改正の時まで待つという、非武装の弱小国・琉球では九条の〈絶対不戦〉の理念は神様にも相当する。

*相手の政変を予想して、文書の宛名を空白にし、現場＝中国へ行ってから新皇帝名を書き入れて奏上する方法。

アメリカの核の傘の下の安全から、さらに一歩踏み出して核共有を欲望する政権の下で、いよいよ空も海も島も戦禍の予兆を孕んでいる。かつて国境は、相互の軍隊がいたずらに衝突しないため、グレーゾーンとして懐をもっていた。それが尖閣列島などに見るように、神経筋のような線になって、一触即発の危険を孕んでいる。沖縄は大陸間弾道の標的にならないよう至るところに白旗を掲げ、厄払いをするしかない。
戦後七七年、復帰五〇年の記憶を洗い直しても、相変わらず戦争の危機と、日米の基地の重圧に対する抗議である。それでも執筆者たちは、政治・思想サイド、文化・思想サイドの各面から、情況の打開を試み、希望を摑もうと努力している。すでに他界された方々もいるが、本書の提言を遺言として、若い世代にバトンタッチしたい。

二〇二二年六月二八日

復帰五〇年《ふっきごじゅうねん》の記憶《きおく》——沖縄《おきなわ》からの声《こえ》

2022年 8 月10日　初版第 1 刷発行

編　者　川 満 信 一

発行者　藤 原 良 雄

発行所　株式会社　藤 原 書 店

〒 162-0041　東京都新宿区早稲田鶴巻町 523
電　話　03（5272）0301
F A X　03（5272）0450
振　替　00160 - 4 - 17013
info@fujiwara-shoten.co.jp

印刷・製本　中央精版印刷

Printed in Japan
ISBN978-4-86578-354-4

琉球の八賢人が語り尽くす！

これからの琉球はどうあるべきか

藤原書店編集部編

（インタヴュー）**大田昌秀**

（座談会）**安里英子＋安里進＋伊佐眞一＋海勢頭豊＋我部政男＋川満信一＋三木健**

　沖縄の賢人たちが、今後の日本と沖縄の関係について徹底討論。従属でもなく独立でもない道を探る。

「日米開戦半年後、アメリカは沖縄の日本からの分離を決めていた！」（大田昌秀）

四六並製　三四四頁　**二八〇〇円**（二〇一六年一月刊）◇978-4-86578-060-4

沖縄・女性の視点から見つめ直す

新しいアジアの予感〔琉球から世界へ〕

安里英子

　琉球という己れの足元を深く掘り下げ、同時にアイヌ、台湾、朝鮮半島、日本とのつながりを、民俗・生活の根源にある〝自然〟〝いのち〟から、一つ一つたどり直す。揺れ動く現代の沖縄から発信する、揺るがない琉球の歴史のこころとは？　琉球に生まれた女性が、日本列島の南と北を結び、世界へひらく、精神史の旅。

四六上製　三六八頁　**二八〇〇円**（二〇一八年一一月刊）◇978-4-86578-206-6

琉球の死生観とは何か？

珊瑚礁の思考〔琉球弧から太平洋へ〕

喜山荘一

　奄美・沖縄地方の民俗（風葬、マブイ、ユタなど）が南太平洋の島々や日本本土の民俗と共鳴しながら示す島人の思考とは、珊瑚礁の形成とともに生まれた「あの世」と「この世」が分離しつつ自由に往き来できる死生観だった。文字を持たなかった時代の琉球弧の精神史を辿る！

四六並製　三二〇頁　**三〇〇〇円**（二〇一五年一二月刊）◇978-4-86578-056-7

生き延びた元少年兵たちの壮絶な手記

沖縄健児隊の最後

大田昌秀編

　太平洋戦争末期、沖縄本島への米軍上陸を前にすべての男子中等学校と女学校の十四〜十七歳の生徒が戦場に駆り出された。健児隊は沖縄師範学校の男子生徒で組織され、沖縄守備軍司令部の直属隊として最初から最後まで戦闘を共にし、陣地構築、伝令や通信、戦車への斬り込み攻撃を行い、過半数が犠牲になった。悲惨な沖縄戦の実相を伝える証言。

四六判　四六四頁　**口絵三二頁**　**三六〇〇円**（二〇一六年六月刊）◇978-4-86578-078-9